Wolf Friederich

Technik des Übersetzens

Englisch und Deutsch

Eine systematische Anleitung
für das Übersetzen ins Englische und ins Deutsche
für Unterricht und Selbststudium

Max Hueber Verlag

9. | Die letzten Ziffern
1995 94 | bezeichnen Zahl und Jahr des Druckes.
Alle Drucke dieser Auflage können, da unverändert, nebeneinander benutzt werden.
4. Auflage 1977

Gesamtherstellung: Druckerei Manz AG · Dillingen
Printed in Germany
ISBN 3-19-002143-0

VORWORT

Die „Technik des Übersetzens – Englisch und Deutsch" ist ein Buch, das praktische Ziele verfolgt. Übersetzen, so schwierig es auch oft ist, wird heute in noch nie dagewesenem Umfang betrieben. Übersetzen wird aber auch gelehrt und gelernt, und hier möchte das vorliegende Buch helfen.

Die „Technik des Übersetzens" ist kein grundlegendes Buch zur Übersetzungstheorie. So jung wie die Übersetzungswissenschaft ist, gibt es hier doch schon manch gute Abhandlung über die bestehenden Probleme, zumeist aus der Feder erfahrener Übersetzer – was übersetzbar ist, die Fragen der Äquivalenz, die Grenzen der Übersetzbarkeit. Diese Darstellungen sind meistens an rein literarischen Texten orientiert und beruhen auf ästhetischen Wertmaßstäben.

Die „Technik des Übersetzens" geht über das Literarische hinaus, läßt aber das rein Fachsprachliche außer Betracht. Die Praxis des Übersetzenlehrens und -lernens hat es gemeinhin mit zwei Aufgabenbereichen zu tun:

a) der Verhinderung falscher Übersetzungen
b) dem Hervorbringen richtiger Übersetzungen.

Letzteres ist Gegenstand der üblichen Übersetzungsstunden in Universität, Dolmetscher-Institut, Sprachkurs usw., in deren Verlauf natürlich laufend Fehler besprochen werden, wodurch dem (Wieder-)Auftreten falscher Übersetzungen vorgebeugt wird.

Das Anliegen dieses Buches ist es nun, auf der Grundlage langjähriger Erfahrungen zu beiden Aufgabenbereichen systematische Hilfe zu bieten:

a) falsche Übersetzungen beruhen weitgehend auf mangelndem Verständnis dessen was Sprache ist, was Übersetzen bedeutet, wie Sprache und Ding, Sprache und Sprache sich zueinander verhalten. Hier will der erste Teil des Buches etwas mehr Klarheit schaffen;
b) richtige Übersetzungen hervorzubringen wird ganz wesentlich dadurch erleichtert, daß man sich vergegenwärtigt, welche Gesetzmäßigkeiten zwischen zwei Sprachen bestehen. Dies will der zweite Teil klären und einüben.

Die „Technik des Übersetzens – Englisch und Deutsch" möchte also die Lücke schließen, die im allgemeinen zwischen dem eigentlichen Sprachunterricht und dem Übersetzungsunterricht besteht. Sprachunterricht und Übersetzen sind häufig dadurch miteinander verquickt, daß fremde Sprache auch heute noch oft auf dem Wege des Übersetzens vermittelt wird. Daneben besteht aber an Universitäten, Dolmetscher-Instituten und Sprachschulen der eigentliche Übersetzungsunterricht, in dem nicht so sehr die fremde Sprache beigebracht, als vielmehr das Übersetzen als Fertigkeit gelehrt werden soll. Ganz gleich, auf welche Weise in den Studenten oder

Schülern eine fremdsprachliche Grundlage gelegt worden ist: der Übersetzungsunterricht schließt an diesen Sprachunterricht in der Regel nicht nahtlos organisch an. Ebenso wie nun aber Sprachunterricht nicht denkbar ist ohne irgendein System, so sollte auch der Übersetzungsunterricht auf einem System aufbauen.
Der erste Teil des Büchleins begründet diese Ansicht. Er setzt dabei keine besonderen sprachwissenschaftlichen Kenntnisse voraus. Er will nur auf einfache Weise gewisse Einsichten vermitteln in das, was Sprache ist, und in das, was es heißt zu übersetzen. Der zweite Teil führt dann 25 Beispielgruppen mit insgesamt 800 Beispielen vor, in denen 25 für das praktische Übersetzen hilfreiche Übersetzungsprinzipien dargelegt werden. Alle Beispiele erscheinen englisch und deutsch.
Das dargebotene Material entstammt in seinem englischen Teil stets und in seinem deutschen Teil oft veröffentlichten Originalquellen. Manche englischen Beispiele sind vom Verfasser ins Deutsche übersetzt worden.
Nach langen Jahren des Sammelns, Sichtens und Erprobens wird hier nun ein Teil des zusammengetragenen Materials vorgelegt in der Hoffnung, daß es sich im Übersetzungsunterricht ebenso wie beim Selbststudium bewährt. Anregungen und Kritik sind Verfasser und Verlag willkommen.
Zum Schluß sei an dieser Stelle Herrn Dr. K.-Richard Bausch, Institut für Übersetzen und Dolmetschen der Universität des Saarlandes, und Mr. R. Crompton, Dolmetscher-Institut der Universität Heidelberg, sowie Herrn Dr. R. Schäpers, Max Hueber Verlag, für reiche Anregung und Kritik herzlich gedankt.

Wolf Friederich

INHALTSVERZEICHNIS

Teil I

Einführung in das Wesen von Sprache und Übersetzung

A Einleitung

Übersetzen und Technik: ist das nicht ein Widerspruch? Ist Übersetzen nicht Kunst? Verbietet nicht allein schon die Auffassung von sprachlichem Tun als etwas, das mehr umfaßt als Vokabular und Grammatik, die Anwendung von Techniken?
So denken wohl viele, die übersetzen oder die Übersetzen lehren. Aber liegt hier wirklich ein Widerspruch vor oder eine Vergewaltigung der Sprache? Übersetzt wird heute allerorten, Technisches und Literarisches, Administratives und Alltägliches. Übersetzen wird deshalb auch vielerorts gelehrt und gelernt. Auf der Basis irgendwie erworbener fremdsprachiger Kenntnisse. Texte werden hergenommen, mit oder ohne häusliche Präparation in einer Unterrichtsstunde übersetzt und, wenn's gut geht, besprochen. Dann ist der Text fertig, es kommt der zweite dran.
Was aber haben wir von einer solchen Übersetzung? Hat sie uns etwas gelehrt? Hat sie Einsichten vermittelt? Meist erwirbt der Lernende bei diesem Verfahren ein paar Vokabeln, vielleicht noch diese oder jene grammatische Tatsache – das ist alles. Für den sicheren Erwerb solchen Wissens gibt es aber heutzutage bekanntlich bessere Verfahren. Wozu also diese Übersetzerei? Kann aus der Durchnahme beliebig aneinandergereihter Texte überhaupt eine Fertigkeit im Übersetzen erwachsen? Fertigkeiten beruhen auf Übung, systematischer Übung – und eben da liegt der Hase im Pfeffer.
Dem Übersetzenlernen, wie es gemeinhin praktiziert wird, fehlt das Systematische. Jeder Text, den man übersetzt, ist etwas Neues, das – von Fortsetzungswerken ist hier nicht die Rede – mit den vorangegangenen Texten inhaltlich kaum etwas gemein hat. Sollte er deswegen auch sprachlich mit ihnen nichts gemein haben? Sollte jeder Text immer wieder gänzlich neue sprachliche Probleme aufwerfen? Oder sollte es im 17. Text nicht die eine oder andere Schwierigkeit geben, die in erkennbar ähnlicher Form schon im dritten oder achten Text vorkam? Eine andere im sechsten oder elften? Die einfache Wahrscheinlichkeit spricht dafür. Aber wie finde ich jetzt die damals erarbeitete Lösung?
Für den Fortgeschrittenen ist es selbstverständlich (oder sollte es wenigstens sein), daß er der Schwierigkeiten des Wortschatzes dadurch Herr wird, daß er sich Karteien anlegt, die in Ergänzung seiner Wörterbücher all die Wörter festhalten, deren Entsprechungen bei Übersetzungen ermittelt wurden, in den Wörterbüchern aber nicht zu finden waren. Und die Schwierigkeiten der Sätze? Syntaktisches, Stilisti-

sches? Sollte es sich nicht lohnen, auch das festzuhalten, zu ordnen (freilich nicht alphabetisch, wie den Wortschatz)?
Nichts anderes versucht dieses Buch zu tun, und zwar für die Sprachen Englisch und Deutsch.

B Grundsätzliches zur Übersetzungstechnik

Betrachten wir folgenden Satz:

> More important still is education. Innumerable studies of young offenders have gone to show that whilst the mentally subnormal person is by no means predestined to be an offender, he is less fitted to stand up to strains.

Ein Übersetzungsvorschlag:

A) Wichtiger noch ist die Erziehung. Unzählige Untersuchungen über junge Missetäter haben gezeigt, daß während die geistig nicht ganz normale Person keineswegs dazu vorherbestimmt ist, ein Missetäter zu sein, er weniger ausgerüstet ist, Belastungen zu widerstehen.

Oder vielleicht so:

B) Wichtiger noch ist Erziehung und Bildung. Unzählige Untersuchungen von Jugendlichen, die mit dem Gesetz in Konflikt geraten sind, haben hinreichend erwiesen, daß es für einen Minderbegabten zwar keineswegs vorbestimmt ist, daß er Gesetze übertritt; Belastungen zu widerstehen ist er aber weniger gut gerüstet.

Warum ist die unter B) gegebene Fassung besser? Dazu ließe sich folgendes sagen:

1) *education* ist nicht nur *Erziehung*, sondern ebenso auch *Bildung*. Hier sind offenbar beide Teile insgesamt gemeint, also müssen sie auch ausgedrückt werden.
2) *young offender* und später *offender: Missetäter* ist altmodisch, *Übeltäter* ebenso, *Verbrecher* geht zu weit. Es gibt im Deutschen kein dem *offender* entsprechendes Substantiv. Eine adäquate Lösung ist nur durch die verbale Auflösung des Begriffes *(jemand, der mit dem Gesetz in Konflikt geraten ist)* zu finden.
3) In der Verbindung *go to + Infinitiv* unterstreicht *go* das folgende Verb, was hier durch *hinreichend* ausgedrückt ist.
4) *that whilst:* während es im Englischen eine bevorzugte Wortstellung ist, zwei Konjunktionen einander unmittelbar folgen zu lassen, ist im Deutschen diese Art Verschachtelung von Nebensätzen ausgesprochen schlecht.
5) Konzessive Nebensätze, die im Englischen mit *while* eingeleitet werden, entsprechen oft im Deutschen einem Hauptsatz mit *zwar.*
6) *person:* dies Wort steht im Englischen nur, weil das Englische ein Adjektiv nicht

einfach substantivisch gebrauchen kann. Da aber das im Deutschen ohne weiteres möglich ist, ist *Person* überflüssig.

7) *predestined to be:* diese persönliche Konstruktion des Englischen fehlt im Deutschen. Dem deutschen Bedürfnis nach Abwechslung wird zudem dadurch Rechnung getragen, daß wir im Deutschen verschiedenes Subjekt haben (*es* ist vorbestimmt, daß *er* ...), im Englischen dagegen dasselbe (*he* is predestined to be ...).

Diese Feststellungen sind nicht einfach Regeln der Grammatik. Es sind Übersetzungsprinzipien, die sich aus dem Vergleich Englisch/Deutsch ergeben. Und so möge als Leitsatz gelten:

> Die Beherrschung der auf den englisch-deutschen Sprachbeziehungen beruhenden Übersetzungsprinzipien sollte das erste Ziel des Übersetzungsunterrichts sein.

Worauf beruhen diese Prinzipien und die aus ihnen resultierende Technik? Bevor man die Technik einer Sache behandeln kann, muß man die Sache selbst kennen, hier also: das Übersetzen klar begreifen.

Übersetzen ist das Umsetzen von Texten einer Sprache in eine andere, von SL zu TL (source language to target language) oder von AS zu ZS (Ausgangssprache zu Zielsprache), wie man heute sagt. Diese „Umsetzung" ist umstritten; viel kniffliger aber ist sogar noch, was eigentlich das ist, was umgesetzt wird: Sprache. Was ist Sprache? Beim Übersetzen sind gar zwei Sprachen beteiligt – um das Maß voll zu machen. Was also ist Sprache? Was ist Übersetzen?

C Was ist Sprache?

Erst in diesem Jahrhundert geht man mit Intensität an die Lösung des Gesamtproblems Sprache. Das 19. Jahrhundert brachte die Vergleichende Sprachwissenschaft (Indogermanistik)[1]), erst das 20. Jahrhundert die Linguistik – die Wissenschaft von der Sprache als wissenschaftliches Phänomen. Das klingt schon kompliziert – und ist es auch. Hier sind wir mitten im Kern des Problems: Stellen wir uns vor, wir müßten Musik nur mit musikalischen Mitteln erklären (ein Taubstummer etwa versuchte das am Klavier), oder Mathematik nur mit mathematischen Mitteln, Physik ausschließlich mit physikalischen Mitteln (Laborexperimenten, Demonstrationen, allenfalls Formeln, sofern sich diese ohne Sprache und ohne Mathematik aus Experimenten ableiten lassen) – jeder sieht sofort, daß solches Unterfangen äußerst schwierig, höchstwahrscheinlich unmöglich wäre.

Aber auf dem Gebiet der Sprache müssen wir gerade das tun: Sprache mit sprach-

---

[1]) John T. Waterman, *Die Linguistik und ihre Perspektiven*, Max Hueber Verlag, München, 1966.

lichen Mitteln erklären (auch wer heute Mathematik und Kommunikationstheorie zur Erklärung heranzieht, kommt ohne Sprache nicht aus). Archimedes hat gesagt: „Gebt mir einen Punkt, wo ich hintreten kann, und ich bewege die Erde!" Den Musikwissenschaftlern, den Mathematikern, den Physikern gibt die Sprache diesen „Punkt im All" – und wie haben sie diese Gebiete bewegt, vorangebracht. Für die Sprache aber läßt sich solch ein Punkt außerhalb der Sprache, von dem aus betrachtet, gefolgert, geurteilt werden könnte, nicht finden. Damit ist noch nichts Erklärendes über die Sprache gesagt, wohl aber gezeigt, warum ‚Sprache und ihre Probleme' so etwas ganz anderes ist, als alle anderen Wissensgebiete (und warum die Erforschung dieser Probleme – die Wissenschaft von der Sprache, die Linguistik – so jung ist).

Bis heute sind sich die Linguisten weder darüber einig, was Sprache, exakt definiert, ist, noch wie sie entstand und zu dem wurde, was sie ist. Wir wissen ja nicht einmal, wieviel Sprachen es auf der Erde gibt, weil wir exakt Dialekt, Regionalsprache und ‚Sprache' noch nicht voneinander scheiden können.

Immerhin wissen wir schon eine ganze Menge:

1) Sprache ist einmal ein lautliches Gebilde, das durch Intonation und Betonung gegliedert, und das in bestimmte Einheiten zerlegbar ist. Diese Einheiten sind wir gewohnt als *Sätze* und *Wörter* anzusehen; beides befriedigt nicht ganz.
2) Diese lautlichen Gebilde sagen uns etwas, vermitteln Inhalt. Um dieses Inhaltes allein willen wird Sprache geredet und geschrieben – und gerade dieser Inhalt ist an der ganzen Sprachwissenschaft das Problematischste. Welches der landläufigen mit Sprache befaßten Bücher – Lehrbücher und Grammatiken – handelt denn schon von den Sprachinhalten?
3) Der zu vermittelnde Inhalt liegt nicht nur in den zu Sätzen zusammengefügten Wörtern – wie man von jeher meinte –, auch nicht wesentlich in der Intonation (so wichtig diese auch ist – man spreche z. B. mal „Guten Morgen!" mit verschiedenem Tonfall), sondern auch und gerade in den Wort*formen* und Satz*strukturen*. Es ist also nicht so, daß Wortformen sich ändern, Sätze sich abwandeln, weil irgendwelche Grammatikregeln das so festlegen, sondern die Wortformen und die syntaktischen Modelle (sentence patterns) tragen selbst Inhalt! Geänderter Inhalt bedingt andere Formen und Strukturen.

Hierzu ein Beispiel:

Trelder schrangen kröstige Stroben[2]).

Darin ist kein ‚verstehbares' Wort, und doch verstehen wir etwas, das sich auch so ausdrücken ließe:

Kröstige Stroben werden von Treldern geschrangt.

---

[2]) Unterlegbarer Sinn: Männer errichten luftige Bauten.

Ist es schwer einzusehen, daß es neben *Stroben* auch *Ströbchen* geben muß, und daß etwas nicht stimmt, wenn

Kröstige Stroben von den Treldern verschrangt worden sind?

Irgendetwas stellen sich alle Leser unter diesen Sätzen vor. Was immer sie sich vorstellen, hängt nur an den grammatischen Elementen:

Treld/*er* schrang/*en* kröst/*ig*/*e* Strob/*en*.

Halten wir nun kurz fest, wie die Linguistik der verschiedenen sprachlichen Tatsachen Herr zu werden sucht[3]).

A) Das Lautliche:	
1) Die Laute sind zu beschreiben	Phonetik
2) die für eine bestimmte Sprache allein möglichen und semantisch relevanten Laute, d. h. die Phoneme, sind zu erforschen	Phonemik
B) Wörter und Sätze:	
1) die grammatischen Formen sind zu beschreiben	Morphologie
2) die Wortkategorien sowie die Modelle von Wendungen, Sätzen und Satzkomplexen sind zu beschreiben:	Syntax
C) Das Inhaltliche:	Semantik
1) zu klären ist: was bedeutet dies Wort?	Semasiologie
2) zu klären ist: wie bezeichnet diese Sprache den Gegenstand, die Sache X?	Onomasiologie

Sprache – so können wir jetzt sagen – hat mit Phonemischem, Strukturellem und Semantischem zu tun. Sprache ist ein Gebilde, das aus Lauten besteht, ein geschlossenes System von Strukturen darstellt und Bedeutung trägt.

Die drei wesentlichen Begriffe dieser Definition sind: Laute, Strukturensystem, Bedeutung. Die beiden ersten sind auch außersprachlich möglich und bilden keine Schwierigkeit; Bedeutung dagegen ist ein nur für Sprachliches gültiger Begriff – und deshalb so schwer zu fassen.

Für den Übersetzer sind das Lautliche, die Strukturen (Morphologie und Syntax) – das also, was man gemeinhin als Grammatik bezeichnet – selbstverständliche Anfangsvoraussetzung in beiden Sprachen. Verstöße gegen das hier Gelehrte sind Schnitzer gröbster Art; sie bilden – obschon sie allzuoft vorkommen – nicht das Thema der oft so hitzigen Erörterungen über das Übersetzen. Der Kernpunkt ist Abschnitt C: die Semantik, die Bedeutungslehre.

[3]) Vgl. hierzu: Benjamin Lee Whorf, *Sprache Denken Wirklichkeit*, Rowohlt, Hamburg, 1963, rde 174, Seite 142.

Was uns so schwerfällt zu begreifen ist die Tatsache, daß Ding und Wort

a) nichts miteinander ursächlich zu tun haben, daß sie rein zufällig zusammengekommen sind;

b) daß die Wörter sich begrifflich-inhaltlich keineswegs so darstellen müssen, wie sich das für uns als Deutsche zum Beispiel zu ergeben scheint.

Wir kommen in unseren sprachlichen Bemühungen auf keinen grünen Zweig, wenn wir das nicht verstehen.

Beispiele:

1) Betrachten wir einen Regenbogen oder das durch ein Prisma geleitete weiße Licht:[4]) "There is a continuous gradation of color from one end to the other. That is, at any point there is only a small difference in the colors immediately adjacent at either side. Yet an American describing it will list the hues as red, orange, yellow, green, blue, purple, or something of the kind. The continuous gradation of color which exists in nature is represented in language by a series of discrete categories. This is an instance of structuring of content. There is nothing inherent either in the spectrum or the human perception of it which would compel its division in this way. The specific method of division is part of the structure of English.
By contrast, speakers of other languages classify colors in much different ways. In the accompanying diagram, a rough indication is given of the way in which the spectral colors are divided by speakers of English, Shona (a language of Rhodesia), and Bassa (a language of Liberia).

<table>
<tr><td>English:</td><td colspan="2">purple</td><td>blue</td><td>green</td><td>yellow</td><td>orange</td><td>red</td></tr>
<tr><td>Deutsch:</td><td colspan="2">violett</td><td>blau</td><td>grün</td><td>gelb</td><td>orange</td><td>rot</td></tr>
<tr><td>oder:</td><td>vio-
lett</td><td>indi-
go</td><td>blau</td><td>grün</td><td>gelb</td><td>orange</td><td>rot</td></tr>
<tr><td>Shona:</td><td colspan="3">Cips^{w}uka</td><td colspan="2">citema</td><td>cicena</td><td>cips^{w}uka</td></tr>
<tr><td>Bassa:</td><td colspan="4">hui</td><td colspan="3">ziza</td></tr>
</table>

---

[4]) Leonard F. Dean – Kenneth G. Wilson, *Essays on Language and Usage*, Oxford University Press, New York, 1963, Seite 165/6. Das dt. Bsp. in d. Tabelle ist vom Verfasser.

The Shona speaker divides the spectrum into three major portions. Cips^{w}uka occurs twice, but only because the red and purple ends, which he classifies as similar, are separated in the diagram. Interestingly enough, citema also includes black, and cicena white. In addition to these three terms there are, of course, a large number of terms for more specific colors. These terms are comparable to English crimson, scarlet, vermilion, which are all varieties of red. The convention of dividing the spectrum into three parts instead of into six does not indicate any difference in visual ability to perceive colors, but only a difference in the way they are classified or structured by the language.
The Bassa speaker divides the spectrum in a radically different way: into only two major categories. In Bassa there are numerous terms for specific colors, but only these two for general classes of colors. It is easy for an American to conclude that the English division into six major colors is superior. For some purposes it probably is. But for others it may present real difficulties. Botanists have discovered that it does not allow sufficient generalization for discussion of flower colors. Yellow, oranges, and many reds are found to constitute one series. Blues, purples, and purplish reds constitute another. These two exhibit fundamental differences that must be treated as basic to any botanical description. In order to state the facts succinctly it has been necessary to coin two new and more general color terms, xanthic and cyanic, for these two groups. A Bassa-speaking botanist would be under no such necessity. He would find ziza and hui quite adequate for the purpose, since they happen to divide the spectrum in approximately the way necessary for this purpose."

2) Die Sprachen Europas, die mit Ausnahme des Finnischen, Estnischen und Ungarischen – finnisch-ugrische Sprachfamilie – sowie des Baskischen alle einer Sprachfamilie angehören, alle ‚Vettern' 2. und 3. Grades sind, abstammend vom Ahnherr Indogermanisch –, sie sind nicht nur zu nahe verwandt, um radikale Unterschiede aufzuweisen; sie sind in ihrer jüngeren Entwicklungsgeschichte auch stark von zwei ‚Onkeln' geprägt: dem Lateinischen und dem Griechischen. Noch heute rekrutiert sich ein Teil unseres wissenschaftlichen Denkens ebenso aus der Antike, wie wissenschaftliche Neuwörter noch immer aus dem lateinisch-griechischen Sprachbereich genommen werden. Um zu begreifen, daß ein Wort nicht einen selbstverständlichen Inhalt hat, der der entsprechenden englischen oder französischen Vokabel ebenso innewohnen muß, sind daher Vergleiche mit nicht-indogermanischen Sprachen besonders lehrreich.
Für einen Eskimo, der in Eis und Schnee lebt, ist der Begriff Schnee[5]) unvorstellbar. Für ihn sind *fallender Schnee, Schnee auf dem Boden, zu Eis gepreßter Schnee, wäßriger Schnee, windgetriebener Schnee* wahrnehmungsmäßig und ver-

---

[5]) Whorf, a.a.O., Seite 15.

haltensmäßig so verschieden, daß er das Gemeinsame darin weder sehen will, noch kann. Er benutzt daher für alle diese Arten von Schnee verschiedene Wörter.

Am anderen Extrem stehen die Azteken: für sie ist *kalt/Eis/Schnee* eins, so als ob wir etwa sagten: *eisig/Eis/Eis-Nebel.*

Zurück zum Englischen bzw. Deutschen:

Wieviel Bedeutungen hat *John sitzt auf dem Sofa?* Eine, werden viele sagen, was sonst? *John sits on the sofa / John is sitting on the sofa* – das eine zeitlos, allgemeingültig, das andere im Augenblick des Sprechens zutreffend –, also zwei Bedeutungen. *John fährt nach Bonn.* Wieviel Bedeutungen? Wohl zwei – jetzt oder morgen, übermorgen. Aber im Englischen können wir sagen:

He travels to Bonn	– regularly, repeatedly
He is travelling to Bonn	– at the moment he is on his way to Bonn
He is going to travel to Bonn	– Er hat vor, (jetzt oder später) zu fahren
He is travelling to Bonn	– Er fährt bald ganz bestimmt
He will be travelling to Bonn	– Er fährt in den nächsten Tagen (kein Moment des Planens, reine Zukunft)
He will travel to Bonn	– Er fährt nach Bonn (jeden 1. Samstag im Monat)

Das Englische unterscheidet hier also etwas, das wir zu sehen nicht gewohnt sind: der Engländer muß bei jeder Feststellung, die nicht Vergangenheit und nicht Zukunft ist, ausdrücken, ob echte Gegenwart *(he is doing it now, while I am speaking)* oder zeitlose Gegenwart gemeint ist (*he smokes a lot* – im Augenblick tut er es freilich nicht). Bei allen futurischen Feststellungen ist es für den Engländer natürlich, nicht nur das Futurische auszudrücken (wir sagen einfach: *Er fährt nach Bonn* – schon das wird von Übersetzern immer wieder übersehen), sondern zu unterscheiden, ob es persönliche Planung *(going to do)*, Zukunft ohne Planung *(will be doing)* oder unvermeidliches, regelmäßig wiederkehrendes Ereignis ist *(the sun will rise in the east; he will fly to New York every autumn).* Warum fällt es dem Deutschen so schwer, *he wrote/he has written, he left/he has left* richtig zu gebrauchen? Doch nur deswegen, weil der Engländer das Vergangene vom Gegenwartsstandpunkt des Sprechenden her sieht; alles Vergangene steht in Beziehung zur Gegenwart: *he has done, written* etc., oder es wird als nicht gegenwartsbezogen formuliert: *he did, wrote*, etc.

Das kann ein Automatismus sein:

Today, now, this month, after his marriage, in this lecture I have done, said, etc.
Yesterday, then, last month, before his marriage, in my last lecture I did, said, etc.

Es kann aber auch ohne solche Adverbien auftreten:

He has written a letter to him: Er hat ihm (jetzt) geschrieben.
He wrote a letter to him: Er hat ihm damals geschrieben.

Im Deutschen ist *er schrieb ihm jetzt* durchaus möglich, *er schrieb ihm damals* noch eher – die Wahl der Tempora ist im Deutschen keine Frage des Gegenwartsbezuges, sondern der Darstellungsweise:

Ich habe heute allerhand eingekauft	– eine Tatsache wird festgestellt
Ich kaufte heute allerhand ein	– ein Bericht beginnt (der Hörer erwartet weitere Einzelheiten).

Angefügt sei hier der Hinweis, daß im Deutschen die Feststellung von Tatsachen im Perfekt oft bedeutet, daß die Sache nun zu Ende ist: *Er hat mir sehr geholfen.* Gerade das kann im Englischen nur das Imperfekt ausdrücken: *He helped me a great deal.*
In der Art und Weise, die Vorgänge der Welt in ihrem Ablauf zu sehen, bestehen im Englischen und Deutschen auf allen drei Zeitstufen (Vergangenheit, Gegenwart, Zukunft) offenbar erhebliche Unterschiede. Nicht solche der ‚Grammatik', wie hoffentlich klargeworden ist, sondern Unterschiede in der Betrachtung der Vorgänge – darin, was an ihnen gesehen, erkannt und dann (als wesentlich) sprachlich fixiert wird. Auch ein Deutscher kann die Unterschiede begreifen, die der Engländer selbstverständlich sieht und macht, aber in der Entwicklungsgeschichte des Deutschen (oder muß man sagen: der Deutschen?) gab es keinen Abschnitt, wo solche Erkenntnis entstand, wichtig wurde und sich deshalb sprachlich ausprägte.
Die deutsch-englischen Unterschiede in der Betrachtung der Vorgänge dieser Welt sind keineswegs nur auf zeitliche Dinge beschränkt. *Er sagte, sie ist krank / sie sei krank* sind zwei grundverschiedene Feststellungen: die erste vermittelt ein Faktum (der Sprecher hält das Mitgeteilte zumindest für ein solches), die zweite – *sie sei krank* – wird so weitergegeben, daß der Hörer klar versteht: der Sprechende sagt es, aber nicht als Faktum, er distanziert sich davon. Dieser Unterschied, im Deutschen selbstverständlich und natürlich, kann im Englischen nicht gemacht werden: *he said she was ill.*
Englisch-deutsche Unterschiede in der begrifflich-inhaltlichen Auffassung der Dinge dieser Welt sind vielen Lesern schon geläufiger – Fälle, wie das oben kurz gestreifte Englisch – *education* / Deutsch – *Erziehung* + *Bildung* oder *Freiheit / liberty* + *freedom.*
Bevor wir darauf näher eingehen, möge wieder ein außer-indogermanisches Beispiel zeigen, daß es noch ganz andere Vorstellungen über die Welt geben kann als die unsrigen:

Ich schiebe den Zweig beiseite. Ich habe einen überzähligen Zeh[6]). Was haben diese beiden Sätze gemeinsam? Nichts, außer daß von einem Ich die Rede ist. Schon das grammatische Präsens, für einen Deutschen in beiden Sätzen noch identisch, ist für den Engländer verschieden: *I am pulling the branch aside. / I have an extra toe (on my foot).* Aber sonst? Keine Logik vermag Gemeinsames zu entdecken. Aber es ist eben die westliche, okzidentale Logik, die hier nur Trennendes sieht – weil sie vom indogermanischen Denken bestimmt ist.

In der Sprache der Shawnee (Schoni), eines Indianerstammes in Oklahoma, sieht das so aus:

A) ni-l'θawa-'ko-n-a: ni = ich/mein; l'θawa = Gabelung; -ko- = Baum, Busch, Zweig; -n- = durch Tätigkeit der Hand; -a: Subjekt vollzieht Handlung am geeigneten lebenden Objekt.

B) ni-l'θawa-'ko-θite: -θite = zu den Zehen gehörig; das Fehlen weiterer Suffixe = das Gesagte bezieht sich auf die Person des Subjekts.

Die Gemeinsamkeit beider Aussagen ist offenkundig. Und wie anders muß ein Volk denken, das so spricht. Im Hopi, einer Indianersprache in Arizona, sind *Blitz*[7]), *Welle, Flamme, Meteor, Rauchwolke, Puls* Verben, denn Wörter, die Vorgänge von kurzer Dauer ausdrücken, sind dort stets Verben. In der Sprache der Nootka (Vancouver Island, Kanada) gibt es überhaupt nur Verben. Das Wort für *Haus* – genauer *Haus-Ereignis* – hat Suffixe, durch die es als *lang dauerndes, kurzdauerndes, zukünftiges, gewesenes Haus* etc. gekennzeichnet wird. Eine Sprache, die neben den Verben keine Substantive kennt, kann ihre Sätze also nicht nach dem Prinzip Subjekt – Prädikat aufbauen, das für alle indogermanischen Sprachen das Fundament schlechthin ist. In der Tat *Er lädt Leute zu einem Schmaus ein / He invites people to a feast* heißt im Nootka: tl'imshya 'isita 'itlma. Dieser Satz ist ein Wort, gebildet aus der Wurzel tl'imsh = kochen + 5 Suffixen: -ya = Resultat (tl'imshya also = Gekochtes) / -'is = essen / -ita = Agens (also tl'imshya-'isita = Gekochtes Essende) / -'itl = holen / -ma = 3. Person Indikativ, also: Gekochtes Essende holt er[8]).

Das erscheint alles sehr merkwürdig und unnatürlich. Ist es aber wirklich soviel natürlicher, in allem Subjekt und Prädikat, Tuenden und Tätigkeit (Agens + Aktion) zu sehen? Wir sagen – unsere Sprache zwingt uns zu sagen: *es blitzt.* Was ist denn dieses *es*? Die Engländer müssen gar, ebenso wie die Russen, dieses *es* nennen: *the lightning flashed/molnija sverkala.* Aber *lightning* und *flashed* sind doch ein und dasselbe! Der Blitz – lightning, molnija ist doch der Schein, von dem ich sage, daß er aufleuchtet (flashes, sverkajet)! Im Hopi heißt das einfach *rehpi* – ein Verb

---

[6]) Whorf, a.a.O., Seite 32.
[7]) Whorf, a.a.O., Seite 14.
[8]) Whorf, a.a.O., Seite 43.

ohne Subjekt. Und das ist nicht etwa dasselbe wie lateinisch *tonat – es donnert,* denn das *-t* ist im Lateinischen ja wieder die 3. Person Indikativ, die sich auf ein Agens bezieht, es grammatisch (und begrifflich) beinhaltet. B. L. Whorf, der unabhängig von Weisgerber, aber vielleicht nicht von Wilhelm von Humboldt, diese Dinge überzeugend dargelegt hat, sagt[9]): „Die moderne Naturwissenschaft ist auf dem Boden unserer westlichen indogermanischen Sprachen entstanden, und deshalb geht es ihr sicherlich oft genauso wie uns allen: sie sieht Tätigkeiten und Kräfte, wo es vielleicht besser wäre, Zustände zu sehen" – oder, besser noch, statt des Substantivs Zustand ein Verb, allerdings ohne den Hintergrund von Täter und Tätigkeit.

Es würde zu weit führen, weitere Einzelheiten darzustellen.

Deutlich geworden ist wohl, daß Dinge und Vorgänge, Zeit und Raum für uns nicht so sind, wie sie sind, sondern wie wir sie sehen und deswegen sprachlich fixieren. Wir können sagen: *Es ist ein heißer Sommer* oder *Der Sommer ist heiß.* Aber er ist es ja gar nicht. Wann immer es heiß ist, dann ist Sommer! Im Hopi[10]) heißt das: *Es—ereignet—sich—Hitze, während—sich—die—Sommerphase—ereignet,* denn im Hopi gibt es keinen Begriff *Zeit,* aus dem man Abschnitte *(Sommer)* herausschneiden kann wie eine Figur aus einem Bogen Papier oder wie man ein Quantum Mehl aus einem Sack holen kann. Im Hopi gibt es Temporalia, etwa *wenn es Morgen ist* oder *während sich die Morgenphase ereignet.*
Um zum Deutschen zurückzukehren: wir sagen: *Ich sehe am Horizont ein Schiff.* Ist das wirklich, wie es unsere Sprache glauben machen möchte, eine Tätigkeit des Sprechers? *Sehen* hat hier ja die Bedeutung von *to see* – nicht die von *schauen, to look.* Ich schlage, ich stoße – ja, aber: *Mir erscheint ein Schiff,* denn was ausgesagt werden soll, ist ja nur der Eindruck, der auf der Netzhaut meiner Augen entsteht[11]). Auch hier zwingt uns also das Subjekt-Prädikat-Schema unserer Sprachen (Englisch, Deutsch) eine Sehweise der Welt auf, die mit der Realität nicht übereinstimmt. Ähnlich ist es bei dem Satz: *ich heiße Peter.* Sollte das nicht der Realität entsprechend so ausgedrückt werden: *sie nennen (rufen) mich Peter?* So ist es jedenfalls im Russischen: *menja zovut Pjotr.*
Das möge genügen für die Klarstellung der Tatsache, daß der Mensch sich die Welt ganz verschieden vorstellen kann, daß der einzelne Angehörige eines Volkes und damit einer Sprache aber nur eine Vorstellungsweise kennt – eben die, die ihm seine Sprache liefert. Und bis vor kurzem hielt jeder Mensch seine Vorstellungsweise für die einzig vorhandene. Und die meisten Menschen denken wohl heute noch so.
"Every language is a complex system, with three main functions: (1) To communi-

---

[9]) Whorf, a.a.O., Seite 65.
[10]) Whorf, a.a.O., Seite 83.
[11]) E. Leisi, *Der Wortinhalt. Seine Struktur im Deutschen und Englischen.* Quelle & Meyer, Heidelberg, 1961.

cate with other persons; (2) to communicate with oneself or, as we say, think; (3) to mould one's whole outlook on life. Thinking follows the tracks laid down in one's own language: these tracks will converge on certain phases of 'reality' and completely bypass phases which may be explored in other languages ... No human being is free to describe nature with strict objectivity, for he is a prisoner of his language. A trained linguist can do better because he, at least, is aware of the bondage, and can look at nature through a variety of frames. A physicist can do better by using the language of mathematics." [12])

In letzter Zeit hat man gegen die hier vorgetragenen Gedankengänge, die als die Whorfsche Hypothese bekannt sind, mancherlei Einwände vorgebracht. R. A. Waldron hat sie in seinem Buch *Sense and Sense Development* gut zusammengefaßt. Er führt auf den Seiten 79/80 Argumente an, die – so meint er – Whorf „zwingend" widerlegen. Da er dazu keine Kritik vorbringt, scheinen sie für ihn tatsächlich schlüssig zu sein. Einmal meint Waldron, Whorfs Ansicht berücksichtige die Tatsache nicht, daß wir Begriffe einschränken, ja sogar negieren können. Solange man sagen kann „So etwas wie Altruismus gibt es nicht" oder solange wir über die Bedeutung von *romantisch* argumentieren können, kann es nicht gänzlich zutreffen, daß das Denken ein Gefangener der Sprache sei. Das ist wenig überzeugend, denn Whorfs Hypothese besagt doch nur, daß die Bedeutung der Wörter sich nicht von den Dingen her ergibt, sondern daß das sprachliche Denken die Grenzen zieht zwischen Wort und Wort. Damit, daß die Sprache den Ausdruck *Altruismus* geschaffen hat, ist über die Existenz von Altruismus nichts ausgesagt. Und selbstverständlich läßt Whorfs Anschauung es zu, daß man über Begriffsinhalte diskutieren kann. Denn einmal behauptet Whorf ja keineswegs, daß alle Sprecher einer Sprache das sprachliche Begriffsnetz in gleicher Weise beherrschen und anwenden, und zum anderen ist hier der Unterschied zwischen genereller und individueller Bedeutung zu berücksichtigen.

Als zweites Argument führt Waldron an: die Tatsache, daß man aus den von den europäischen Sprachen oft sehr verschiedenen nichteuropäischen Sprachen in die europäischen übersetzen kann, spricht gegen Whorfs Theorie. Auch das ist keineswegs schlüssig, denn übersetzt wird ja nicht auf den Ebenen der Wendungen und Wörter, sondern auf der der kompletten Gedanken/Sätze, und hier ist Übersetzung immer möglich – nicht immer freilich ohne erklärenden Zusatz. Aber das ist schon beim englisch-deutschen Übersetzen erforderlich – etwa, wenn man einen Text über *education* hat und diesem Begriff *Erziehung, Bildung, Ausbildung* gegenüberstellen muß.

Whorfs Theorie enthalte ja bereits das Anerkenntnis, daß es neben dem europäi-

---

[12]) Stuart Chase, *How Language Shapes Our Thoughts;* zitiert nach R. Jumpelt; *Die Übersetzung naturwissenschaftlicher und technischer Literatur,* Langenscheidt, Berlin, 1961, Seite 30.

schen Begriffssystem solche anderer Sprachen gebe. Wie kann man sie erkennen (und die dahinter stehenden Realitäten), wenn man ein Gefangener des europäischen Sprachdenkens ist? Selbstverständlich kann man das ebenso gut, wie man die metrischen Maße eines Gegenstandes mit Fuß und Zoll angeben kann, freilich mit so umständlichen Gebilden wie 53/64 Zoll usw. Whorf habe die psychologischen Beweise dafür übersehen, daß gewisse Arten der Erkenntnis nicht von Sprache abhängen. Schön und gut, aber wenn diese Erkenntnis gedanklich greifbar werden soll, muß sie sich sprachlich äußern – und das kann sie nur im Wort-Begriffs-System einer Sprache. Und schließlich führt Waldron an, es sei eine historische Tatsache, daß Menschen sehr ähnlichen sprachlichen Hintergrundes sehr verschiedene Philosophien entwickelt hätten, etwa Hume und Hegel. Whorf behauptet ja auch nirgends, daß eine Sprache ein fertiges philosophisches Gebäude mitliefere, wohl aber fertige Mosaiksteine dafür. Glaubt man wirklich, daß ein Mensch, dessen Sprache ihm *Erziehung, Bildung, Ausbildung* liefert, zu denselben Ansichten auf diesem Gebiet kommen wird wie einer, dessen Sprache nur *education* kennt, also nicht die leidige Kluft zwischen *Erziehung* und *Bildung*? Was soll ein Volk über *Zeit* philosophieren, das den Zeitbegriff nicht kennt?
Wenn wir uns nun der Welt der Dinge und des Gedachten (der Abstrakta) zuwenden: keine Sprache, und wäre sie noch so wortreich, weist mehrere Millionen Wörter auf, und was ist das schon im Vergleich zu den Billionen und Trillionen von verschiedenen Dingen in der Welt, von den Abstrakta in der Gedankenwelt ganz zu schweigen. Jede Sprache muß also ein mehr oder weniger grobmaschiges Netz an die Realien anlegen – ist es da nicht eigentlich selbstverständlich, daß die einzelnen Sprachen hier in verschiedener Weise die Dinge aus der Gesamtheit herausgreifen, *begreifen?* Daß die Maschen einmal mehr, einmal weniger fassen? Da, wie gesagt, jede Sprache gezwungen ist, viele ähnliche Dinge mit *einem* Wort zu erfassen, ist es naheliegend (doch für die Linguistik wie für die meisten Menschen ziemlich neu), daß die (Sprecher der einzelnen) Sprachen in der Beurteilung des Ähnlichen (und somit Zusammengehörenden) oder Unähnlichen (also einzeln zu Sehenden und zu Bezeichnenden) sehr weit auseinander gehen.
Dies mögen einige Beispiele veranschaulichen, die zum Teil auf das sehr lesenswerte Buch von E. Leisi, Der Wortinhalt[13]), zurückgehen.
Was ist für uns näherliegender, als daß die großen Gestelle aus Holz (mit Türen), in die wir Bücher oder Geschirr, Kleider, Wäsche oder Spielzeug tun, Gemeinsames enthalten – nämlich ein *Schrank* sind? Engländer sehen in *bookcase, cupboard, wardrobe, linen press* nichts Gemeinsames, sie haben kein Wort für *Schrank. Cupboard* kann zwar heute außer für die Küche auch für Spielzeug und Wäsche *(bedroom cupboard, linen cupboard)* verwendet werden, aber für *bookcase* oder *ward-*

[13]) Vgl. Fußnote 11.

robe keineswegs. *Cupboard* ist also nicht = *Schrank*. Der Vermittlungsschrank in einer Telefonzentrale heißt *switchboard*.
In den breiten Fahrwegen innerhalb der Orte und von Ort zu Ort sehen wir kaum einen Unterschied: es sind *Straßen*. Für die Engländer sind es *street* bzw. *road*. Die Masche, die beides umfaßte, gibt es nicht. (Ebenso im Russischen: *ulica/doroga*.)
Ähnlich geht es uns mit den Waldgewächsen, die eine bekannte Anekdote mit einem Schirm vergleicht; wir nennen sie alle *Pilze*. Für die Engländer ist ein (giftiger) *toadstool* niemals ein *mushroom*. (*Fungus* als wissenschaftlicher Begriff, ist wieder anders, denn er umfaßt auch *moulds* und *mildews*).
Sind *Herren-* und *Damenhosen* nicht im wesentlichen dasselbe? Keineswegs. Die Engländer scheiden sie: *trousers/slacks* [14]). Ähnlich bei den Hemden: *(men's) shirts, (ladies') vests*.
Am Anfang des Backens steht der *Teig*, sollte man meinen. Der Engländer muß wieder feiner einteilen: *dough* (das dem *Teig* verwandte Wort) bezeichnet eine Mischung aus Mehl und Wasser (und/oder Milch), *batter* enthält auch Ei, ist flüssig (für Pfannkuchen etc.), *paste* enthält viel Fett (für feines Gebäck).
Und nun Beispiele mit Adjektiven: Wenn wir von *ansteckenden* Krankheiten reden, dann scheint uns das völlig eindeutig zu sein – bis wir im Englischen *infectious/contagious* gegenüberstehen. Der Engländer muß unterteilen: *ansteckend durch die Luft* oder ähnliches / *ansteckend durch Berührung*.
Wer abgeneigt ist, regelmäßig zu arbeiten und dementsprechend nichts tut, ist *faul*. Im Englischen ist zu unterscheiden, ob er nichts tut *(idle)*, oder ob er nichts tun will, whether he is averse to labour [15]) *(lazy)*.
Das Gegenteil von *faul* ist *fleißig*. *Fleiß* ist damit hinreichend klar und erscheint uns auch eben in dieser Abgrenzung notwendig. Im Englischen ist das keineswegs so; wir finden:

industrious (-stry): it means habitually devoted to labour;
diligent (-nce): suggests more of intensity, care, attentiveness
assiduous (-uity): unterstreicht das Sitzfleisch (assiduous, von lateinisch sedere sitzen), das pausenlose Dranbleiben an der Arbeit. Zu den Substantiven noch *application:* Aufmerksamkeit und Sorgfalt, Ausdauer bei einer Tätigkeit, also etwa *Hingabe und Fleiß*.

Und nun Beispiele in der umgekehrten Richtung.
Fische sind schließlich keine Säugetiere, also haben sie keine *Knochen*, sondern *Gräten*. Fische sind aber wie die Säugetiere auch Wirbeltiere, haben also ein Skelett, und das besteht aus einer harten Masse (unterschieden von *Fleisch/flesh, Muskel/muscle*); sie hat im Englischen nur einen Namen: *bone*.

---

[14]) Erst die modernen Hosenanzüge für Damen haben hier teilweise Wandel geschaffen: *trouser suits*.
[15]) Concise *Oxford Dictionary*, s.v. lazy.

Eine *Wand* ist etwas anderes als eine *Mauer:* wir zögern nie eine Sekunde, ob im Einzelfall das eine oder das andere Wort zutrifft. Und doch ist dieser Unterschied im Englischen nebensächlich, es gibt nur einen *Wand* und *Mauer* umfassenden Begriff: *wall.*
Ähnlich unterscheiden wir mit Sicherheit *Burg* und *Schloß;* erstere hat Befestigungscharakter, letzteres (anders als die *Burg* auch in der Ebene denkbar) ist künstlerisch gestalteter Herrensitz der neueren Zeit, oft mitten in einer Stadt; im Englischen ist beides *castle.*
Ein mehrteiliges Obergewand für Herren ist der *Anzug;* für Damen hat ein solches Gewand zwar auch eine Jacke, statt einer Hose aber einen Rock: Grund genug, ein besonderes Wort dafür zu haben: *Kostüm.* Im Englischen genügt die Gemeinsamkeit von Obergewand und Mehrteiligkeit, ein Wort zu haben: *suit.*
Von Form und Verwendung her sehen wir große Unterschiede zwischen *Bürste* und *Pinsel;* der Engländer sieht das Gemeinsame (Griff mit Borsten oder Haaren): *brush.*
Sind *Vorlesung* und *Vortrag* nicht klar geschieden? Mitnichten, es ist dasselbe – Englisch *lecture.*
Note und *Ton* sind so verschieden wie das geschriebene und das gesprochene Wort; für letztere Begriffe gibt es weder im Deutschen noch im Englischen ein einziges Wort, und doch kennt das Englische *einen* Begriff für *Note/Ton;* beides ist BE *note*[16]).
Chemiker und *Apotheker* (besser *Pharmazeuten*) haben natürlich die Chemie als Basis gemeinsam, aber sonst? Im Englischen ist beides *chemist.* In der heutigen Welt freilich kann in einem Kontext der *Chemiker* und der *Pharmazeut* auftreten; dann muß man behelfsweise sagen: *analytical chemist/dispensing chemist (pharmaceutical chemist).*
Wer von *Insekten* spricht, denkt nicht an *Käfer* – beide sind allzu verschieden. Im Amerikanischen können beide zusammengefaßt werden in dem Begriff *bug* (British *bug* = Wanze).
Noch merkwürdiger in seiner Großmaschigkeit ist ein anderer Begriff: *vermin.* Damit werden alle *small harmful animals, hard to get rid of* bezeichnet, d. h. also *flies, fleas, bugs, lice, insects, worms, mice, moles, rats, weasels, foxes, owls,* etc.
Ein bekannter Fall problematischer Großmaschigkeit ist auch *technical.* Im Deutschen trennen wir scharf *technisch* und *fachlich* – und verstehen nicht, wie man das nicht so trennen kann.
Wir unterscheiden zwischen *Miete* und *Pacht,* erstere für Häuser und Wohnungen, letztere für Grundstücke. Dieser Unterschied ist im Englischen unbekannt: *rent.*

[16]) Ähnlich merkwürdig ist, daß wir im Deutschen die (ertönende) *Musik* und die *Noten* dazu selbstverständlich scheiden, im Englischen jedoch beides *music* ist *(Where is the music of the Beethoven sonata?).*

Man kann auch *lease* verwenden, der Unterschied entspricht aber nicht dem von *Miete/Pacht*, sondern *rent* bedeutet vor allem *Miete/Pacht* als Geld, *lease* dagegen *Miete-/Pachtvertrag, -dauer*. Noch erstaunlicher ist, daß zwischen *mieten/vermieten* (und *pachten/verpachten*) kein Unterschied gemacht wird: *to rent* (oder *to lease*).
Einer der überraschendsten und überzeugendsten Beweise für die lexikalische Nichtübereinstimmung zweier Sprachen sind die fehlenden Wörter. In seinem großartigen Buch „Zielsprache“[17]) fragt Fritz Güttinger mit Recht, warum in den Übersetzungen englischer Romane soviel *gewispert* und *geflüstert*, warum so vieles *sanft, ruhig, mit schwacher Stimme* gesagt wird, wo doch immer nur *leise* gemeint war; das entsprechende Wort fehlt aber im Englischen. *Gently, softly, quietly* und *in a low (small, faint) voice, in an undertone, (cursing) under his breath* sind, wenn man so will, Notbehelfe. Ebenso fehlt *schweigen. To be silent* ist ebenso Ersatz wie *to say nothing, to keep mum, to keep one's counsel.* Das Englische kennt den *Sieg (victory)*, aber *(be)siegen? To vanquish, to overcome (I came, I saw, I conquered/overcame)*, oft auch *he carried the day, the day was his.* Bekannte Fälle fehlender Wörter sind auch *Scherben (bits of glass, fragments of glass), Besteck (knives and forks), Geschwister (brothers and sisters).*
Wenn es nach dem Gesagten klar ist, daß jede Sprache ihre formal und inhaltlich eigenen Wörter besitzt und daß jede Sprache den Wörtern ihren eigenen Inhalt gibt, und zwar völlig unabhängig von den Dingen und Vorgängen (Zuständen) der Welt (und ebenso völlig unabhängig von den Begriffsinhalten und Wortformen anderer Sprachen), wenn es klar ist, daß die verschiedenen Sprachen zum Einfangen der dinglichen Welt verschiedenmaschige Netze auswerfen – wenn das also klar ist, dann ergibt sich daraus folgendes:

A) WÖRTER

1) Die genaue Bedeutung eines Wortes ist nicht durch das Bezeichnete selbst bestimmt, sondern umgekehrt: die Sprache wählt aus und gibt dem Wort einen Inhaltsbereich, der offenbar bestimmt wird durch das Zusammenspiel des betreffenden Wortes mit den übrigen Wörtern der Sprache: Synonymen, Antonymen und inhaltlich (im Sinne des Wortfeldes) verwandten Wörtern.
   Es ist das große Verdienst des Züricher Anglisten Ernst Leisi, Licht in dieses Zusammenspiel gebracht und erkannt zu haben, daß es „die den Gebrauch des Wortes erlaubenden Bedingungen“[18]) sind, die den Inhalt des Wortes genau bestimmen.

---

[17]) Fritz Güttinger, *Zielsprache, Theorie und Technik des Übersetzens.* Manesse-Verlag, Zürich, 1963.
[18]) Leisi, a.a.O., Seite 116 und sonst.

Was sind das für Bedingungen? Einige seien hier, Leisi folgend, mit Beispielen genannt:

a) bei Substantiven: 1) die Form, 2) die Substanz des Bezeichneten. Mit Deutsch *Klumpen*, Englisch *lump* verbinden wir gewisse Formvorstellungen. Darüber hinaus ist aber auch Substanz eine wesentliche Bedingung:

ein Klumpen	Lehm	a lump of clay	
ein Klumpen	Teig	a lump of dough	
ein Klumpen	Butter	a lump of butter	
ein Klumpen	Eisen	a lump of iron	
ein Klumpen	Blei	a lump of lead	
ein Klumpen	Gold		a nugget of gold
ein Klumpen	Blut		a clot of blood
ein Brocken	Kohle	a lump of coal	
ein Stück	Zucker	a lump of sugar	

Diese Tabelle zeigt außer der Abhängigkeit der Wörter *Klumpen/lump* von Form und Substanz die deutsch-englischen Gemeinsamkeiten und Verschiedenheiten.

3) Der Zweck (Verwendungszweck, Anwendungsbereich).
Die Faktoren 1)–3) finden wir bei *Stange/Stab* und den englischen Entsprechungen:

Im Deutschen:

Stab: (Form) rund, mittellang; (Substanz) Holz; (Zweck) Amtszeichen (Gerichtsvorsitzender: *den Stab über jemanden brechen*), *Zauberstab, Dirigentenstab, Wanderstab, Stabhochsprung* (obschon der Form nach eine Stange!)
Stange: (Form) rund, sehr lang, kräftig; (Substanz) Metall, Holz; (Zweck) Technik *(Telegraphenstange, Zeltstange, Pleuelstange)*, Haushalt *(Teppichstange, Gardinenstange, Bohnenstange, Hopfenstange, Hühnerstange)*.

Im Englischen:

pole: rund, lang, kräftig; Holz; *telegraph-pole, tent-pole, bean-pole, hop-pole, pole of a wagon* (Deichsel), *pole for vaulting.*
perch: rund; Holz; für Hühner als Sitzstange
mast: rund, lang, kräftig; Schiff; any upright pole
staff: rund, mittellang; Holz; zum Gehen, Amtszeichen
bar: rund; Metall/Holz; Sperre *(window-bar, door-bar, gate-bar)*
rod: rund, schmal; Metall; Technik *(curtain-rod, piston-rod, connecting-rod:* Pleuelstange)

wand: rund, schmal; kurz; Metall; Dirigentenstab, Zauberstab
baton: rund, kurz; Metall/Holz; Amtszeichen, Dirigentenstab
mace: bestimmte historische Form; Amtsstab.

4) Die Tatsache, daß etwas Teil eines Größeren ist (sog. Partitiva), z. B. *Berg/hill, Bein/leg, Zehe/toe, Ast/branch,* etc. Mit weiteren Bedingungen: Deutsch: *Falte* (Tuch, Haut); Englisch: *fold* (Tuch), *wrinkle* (Haut). Englisch: *top, bottom* (beide ortsbestimmt); Deutsch: Entsprechung fehlt, denn *Spitze* ist noch zusätzlich durch die Form bestimmt, *Gipfel/Wipfel* beide durch das Material (Gestein, Baum); *Boden* ist nur für Hohles möglich (Englisch dagegen: *at the bottom of the page*).

Aufschlußreich ist auch das deutsche Wort *Rand* (ortsbedingt); das Englische hat keine Entsprechung, denn die englischen Wörter sind alle zusätzlich material- und formbedingt:

edge (Ufer, Grenze Wasser-Land), *brim* (Hut, Gefäß)
rim (etwas Rundes: Rad, Hut, Brille)
margin (Buch, Heft; breiter Streifen)
brink (steil, abrupt).

b) Bei Adjektiven: 1) Objektgebundenheit: *blond* (Haare), *vergilbt* (Papier), *bejahrt* (Mensch), *aged* (Tier, Mensch), *seicht* (Wasser, aber die englische Entsprechung *shallow* nicht: *shallow water, a shallow stream,* aber auch *a shallow dish, a shallow box).*

Wide ist nicht objektgebunden, wohl aber *weit* (Hohlräume, Röhren etc., Flächen), weshalb *a wide plank* = ein breites Brett, *a wide street, doorway, wound.*

Englischem *bad* entspricht im Deutschen *schlecht/schlimm. Schlecht* ist nur anwendbar auf Personen und Dinge, die auch gut sein können. Was niemals gut ist, kann nur als *schlimm* bezeichnet werden: Krankheit, Schuld, Verbrecher, Ungeziefer, Erkältung.

2) Die Unterscheidung aktuell/potentiell

Ich kann feststellen *Dieser Wagen ist schnell* oder von jemandem sagen *Er schwimmt schnell,* ganz gleich ob Wagen oder Mensch sich in Bewegung oder in Ruhe befinden. Der erste Fall ist aktuell, der zweite potentiell. Eine Reihe von Adjektiven sind nämlich entweder nur aktuell oder nur potentiell möglich:

Nur aktuell	Nur potentiell	Beides
well	healthy	gesund
ill	invalid/sickly	krank
glad/froh		cheerful/fröhlich
	kindly	kind/freundlich

Nur aktuell	Nur potentiell	Beides
wichtig	bedeutend	important
cross		böse
tauglich/fähig	tüchtig	able
afraid	timid/furchtsam	
	hilfreich	helpful

c) Bei Verben: 1) Bewegung (dynamische Verben), 2) dazu eine statische Eigenschaft des Subjekts (dynamisch-statische Verben), z. B.: Deutsch *fallen/stürzen: Ein Bleistift stürzte aus dem Fenster* ist unmöglich, da *stürzen* dynamisch-statisch ist: zur Bewegung muß noch das Gewicht des Subjekts hinzukommen. Ebenso unterscheidet sich *wälzen* von *rollen.* In beiden Fällen hat das Englische für das dynamisch-statische Verb keine Entsprechung, was jedoch nicht als Regelfall zu gelten hat. Dafür sind die dynamisch-statischen Verben auch viel zu zahlreich. Gewicht ist nur *ein* statischer Faktor. Ein weiterer Faktor ist 3) Zahl der Subjekte: *treffen* kann man jemanden, ganz gleich ob er sich bewegt (auf der Straße) oder nicht (beim Frisör), *antreffen* aber nur, wenn er sich nicht bewegt, *begegnen* kann man ihm nur, wenn er sich bewegt. Für das englische Wort *to meet* dagegen ist es gleich, ob ein oder mehrere handelnde Subjekte (agents) im Spiel sind. *Einholen, überholen* hat zur Bedingung, daß beide Personen (Autos) in Bewegung sind, to *pass* nicht (also entspricht es auch deutschem *vorbeigehen an jemandem*).
4) Zahl der Objekte. *Sammeln, vereinigen, trennen, streuen* und ihre englischen Äquivalente erfordern mehrere gleiche Objekte, *füttern, geben, erschlagen, erdolchen, kaufen, tauschen,* mehrere verschiedene Objekte. Das dem Deutschen *sammeln* entsprechende *gather* ist dem deutschen Verb gleich, *collect* dagegen erlaubt: *Please collect your passports* und sogar *Please collect your passport* (im Deutschen also *abholen*). Wer Russisch lernt, begegnet dort dem wichtigen Unterschied *belebte/unbelebte Wesen* und meint, das sei etwas ganz Besonderes. Dabei finden wir den Unterschied auch hier:
5) belebte/unbelebte Objekte. Die Verben *beschädigen/to damage* sind nur bei unbelebten Objekten möglich, *verwunden/to wound, verletzen/to hurt* nur bei belebten. *To injure* gilt jedoch für beides, weshalb Engländer hier im Deutschen leicht Fehler machen.
Den Unterschied *Mensch/Tier* finden wir bei *essen/fressen* im Subjekt (Englisch beides *to eat*), bei *(er)nähren, zu essen geben/füttern* im Objekt (Englisch beides *to feed*). Die deutschen Verben *abrichten, dressieren* haben nur Tiere als Objekt, die englischen Verben *to train, to teach* nicht. Im Deutschen *schießen* wir ein Reh (Hirsch, Hasen, Rebhuhn), *erschießen* jedoch einen Menschen, im Englischen ist beides *to shoot.*

6) Spezielle Objektgebundenheit: (die Zähne) *blecken,* (Dolch, Schwert) *zücken, to gnash* (one's teeth). Die jeweiligen Entsprechungen sind nicht objektgebunden: *to show one's teeth, to draw* (dagger, sword), mit den Zähnen *knirschen, to shrug* (nur Schulter), *to nod* (Kopf), *to nudge* (Ellenbogen), *to flick/schnippen* (Finger), *to pout* (Lippen), *to kick* (Beine), *to wave* (Hand, Tuch, Stock; entspricht also *winken/schwenken*), *zausen* (Haare, Federn), *zappeln, strampeln* (Beine), *pflücken* (Blumen, Obst, nicht Pilze!), *to cull* (Blumen; aber *to pick, gather, pluck* sind unbeschränkt).

2) Die genaue Bedeutung eines Wortes ergibt sich also nur aus dieser Sprache, nur aus Kontexten dieser Sprache oder – abstrahiert daraus – aus einsprachigen Wörterbüchern, die Definitionen, Abgrenzungen zu anderen Wörtern und Satzbeispiele bieten; für die einsprachige Abgrenzung sinnähnlicher Wörter sind Synonymiken wichtig [19]).

B) WENDUNGEN

Ebenso wie die Wörter sind auch die Wendungen Konventionen der Sprache: sie haben sich nicht unter dem Zwang äußerer Umstände so ergeben, sondern es war die Konvention der Menschen, daß so Gesagtes verstanden wurde, wie es der Sprecher gemeint hatte.

Wir sagen im Deutschen:	im Englischen:
einen Antrag stellen	to make an application
eine Behauptung aufstellen	to make an assertion
eine Regel aufstellen	to state a rule
einen Vertreter stellen	to provide a deputy
einen Zeugen stellen	to produce a witness
jemanden als Zeugen aufstellen	to call somebody as a witness
einen Kandidaten aufstellen	to put forward (nominate) a candidate
die CDU stellt den Finanzminister	the C.D.U. provides the Minister of Finance
ein Programm aufstellen	to set up (establish) a programme
jemandem ein Thema stellen	to set (somebody) a topic
eine Forderung aufstellen	to make a demand
jemandem eine Forderung stellen	to make a demand (on somebody)
einen Rekord aufstellen	to set up (establish) a record
den Sieger stellen	(the winner has come from our club)
einen Grundsatz aufstellen	to lay down a principle
Ansprüche stellen	to make demands (on somebody)

[19]) H. W. Klein – W. Friederich, *Englische Synonymik,* Max Hueber Verlag, München, 1968.

Ganz offensichtlich liegt diesen Ausdrücken kein System zugrunde, das die Verwendung von *stellen/aufstellen* scheidet. Diese Verbindungen haben sich als Konventionen herausgebildet und müssen jeweils als Ganzes genommen werden. Die entsprechenden englischen Wendungen liegen fest – wieder ganz unabhängig von den deutschen Formulierungen. Die englischen Formulierungen ergeben sich nur, wenn man die englischen Wörter wie *application* (Antrag), *assertion* (Behauptung), *rule* (Regel) usw. im Kontext aufsucht und sich fragt: mit welchen Verben z. B. gehen diese Substantive Verbindungen ein?

Wenn man, um Antwort auf diese Frage zu erhalten, nicht tagelang Bücher lesen will, um auf die gesuchten Verb-Substantiv-Kombinationen zu stoßen, dann gibt es wieder nur eines: das einsprachige Wörterbuch.

Parallelität im Englischen und Deutschen, wie etwa in

Fortschritte machen	to make progress
jemandem unrecht tun	to do somebody an injustice
eine Festung nehmen	to take a fortress
jemanden dazu bringen zu tun	to bring somebody to do something
im Laufe der Zeit	in the course of time
leben und leben lassen	live and let live, etc.

sind im Grunde rein zufällig, bedingt durch die Verwandtschaft beider Sprachen, die gewisse parallele Entwicklungen nahelegt. Wie aber in der Vererbung nicht Eigenschaften weitergegeben werden, sondern nur die Möglichkeiten dazu, so bewirkt Sprachverwandtschaft nicht, daß in zwei Sprachen gewisse Gleichheiten bestehen müssen, sondern immer nur bestehen können, *vielleicht* bestehen.

Das Normale, zu Erwartende ist bei gleichem Inhalt die Verschiedenheit der sprachlichen Form – bei äquivalenter Form (Wort, Wendung) die Verschiedenheit des Inhalts.

C) SÄTZE

Ebenso wie die Wörter und die Wendungen einer Sprache nur durch diese bestimmt sind, sind es auch die Sätze – genauer: die Satzstrukturen oder Modelle (patterns). Zwar lassen sich von Sprache zu Sprache – jedenfalls im indogermanischen Raum – Gemeinsamkeiten feststellen: es gibt das fundamentale Prinzip Subjekt–Objekt, es gibt Haupt- und Nebensatz, es gibt Infinitiv und Partizip usw. Bei näherer Betrachtung sehen aber nicht nur die Modelle selbst in zwei Sprachen ganz verschieden aus, sondern ihre Anwendung im konkreten Einzelfall – und darauf kommt es schließlich allein an – ist ganz verschieden. Betrachten wir einige Unterschiede im Englischen und Deutschen.

1) Deutsche Modelle, die es im Englischen nicht gibt:

a) Hilfsverb + Objekt	Er kann es. Er kann Deutsch. Er will sie. Hans soll es.
b) wollen + Infinitiv Perfekt	Er will nichts gesehen haben.
c) Verb des Sagens + Infinitiv	Er behauptet, dort gewesen zu sein (ihn zu kennen, dort hinzufahren).
d) Betonter Dativ + Prädikat + Subjekt	Dem Mann traue ich nicht. Hans glaubt keiner mehr.
e) Artikel + präpositionale Wendung + Partizip + Substantiv	ein am Stadtrand gebautes Haus, ein aus mehreren komplizierten Teilen bestehender Apparat.

2) Englische Modelle, die es im Deutschen nicht gibt:

a) with + Partizip	Both forms of the word are used, with the shorter form gaining.
b) Substantiv + absolutes Partizip	The disputes having been settled, the men returned to work.
c) Präposition + Gerundium	In choosing our dress, we must not forget the quality of the material.
d) Subjekt + Prädikat, Hilfsverb + Pronomen	He came, didn't he? He can't, can he? She is there, isn't she? He won't do it, will he?
e) Verb + Objekt + Partizip	I saw him running. He kept me waiting. I want the text altered.

Daß in diesen Fällen beim Übergang von einer Sprache zur anderen neue Wege beschritten, d. h. neue, der Ausgangssprache nicht wörtlich entsprechende Modelle gefunden werden müssen, liegt auf der Hand. Aber auch, wenn ein gleiches Modell zur Verfügung stünde, ist die Nicht-Parallelität weitgehend die Regel. Ein paar Beispiele hierzu:

Ich bestehe darauf, daß er kommt / auf seinem Kommen / er soll kommen.	I insist on his coming / that he shall come.
Ihm gelang es sofort, das Schloß zu öffnen, aber mir gelang es nicht, auch nur den Schlüssel hineinzustecken.	He succeeded at once in opening the lock, but I failed even to put the key in the keyhole.
Er sagte, er hat / habe / hätte keine Zeit dazu.	He said he had no time to do that.
Alle Jungen standen da mit der Mütze auf dem Kopf.	All the boys were standing there with their caps on their heads.

Er hat einen Wagen gekauft, mit dem er zur Arbeit fahren will (möchte, kann).	He has bought a car to go to work in.
Die einfachste Lösung war, daß Japan fremdes Gebiet besetzte.	The simplest solution was for Japan to seize foreign territory.

Aus der Grunderkenntnis über die hier dargelegte Verschiedenheit der Sprachen und des durch sie Ausdruck findenden Denkens und der Anwendung dieser Grunderkenntnis auf die Wörter, die Wendungen und die Sätze ergibt sich also:
Es ist für uns selbstverständlich, daß wir vom Wort einer Sprache zum Wort der anderen Sprache gehen. Wir haben gelernt, daß

> table = Tisch, Quittung = receipt, Straßenverkehr = road traffic, schreiben = to write, versinnbildlichen = to symbolize, entkommen = to escape, hoch = high, geziert = stilted

ist usw. Und wenn wir es (noch) nicht gelernt haben, dann sind wir gewohnt, es in einem Wörterbuch nachzuschlagen.
Der etwas Fortgeschrittenere geht auch von der Wendung einer Sprache zur Wendung der anderen Sprache:

> im Laufe der Zeit = in the course of time, mit einer Geschwindigkeit von = at the rate of (50 mph), sich um die Sonne drehen = to revolve round the sun, in der Welt vorankommen = to get on in the world, in Brand stecken = to set on fire (*oder* to set fire to), ein verzweifelter Kampf = a desperate fight, auf Schadenersatz verklagen = to sue for damages, nicht im Dienst = off duty, gegen Bürgschaft = on bail, sich ausweisen = to prove one's identity, alte Sprachen = classical languages, auswendig lernen = to learn by heart

und so weiter und so fort.
Hier allerdings wird schon nicht mehr so oft nachgeschlagen, sondern gesündigt, d. h. in der fremden Sprache werden die Wörter zur Wendung zusammengefügt, statt daß die Wendung als Ganzes aufgesucht wird: die Wendung wird als solche eben gar nicht erkannt. Wir finden dann:

Deutsch	Englisch wörtlich/falsch	Englisch richtige Wendung
ein Examen machen	to make an exam	to sit for an exam
als ich fertig war	when I was ready (I took a bath)	when I had finished (I took a bath)
alkoholfreie Getränke	alcohol-free beverages	soft drinks
(Diese Bemerkung war) alles andere als höflich	(This remark was) everything else than polite	(This remark was) anything but polite (*oder* far from polite)

Deutsch	Englisch wörtlich/falsch	Englisch richtige Wendung
eine Schule besuchen	to visit a school	to attend a school
wir tranken Tee	we drank tea	we had tea
jemandem Feuer geben	to give somebody fire	to give somebody a light
ach so	ah so	I see[20])

Wie die Beispiele deutlich zeigen – und nach dem Gesagten kann es nicht anders sein –, läßt sich bei den Wendungen, geht man von einer Sprache zur andern, nichts konstruieren – ebensowenig wie bei den Wörtern.
Wenn wir nun von den Sätzen einer Sprache zu den Sätzen einer anderen Sprache gehen – sollte es da anders sein? Offensichtlich nicht. Aber von der Gleichheit der Sätze, d. h. der Satzmodelle, in beiden Sprachen geht aus, wer einen Text so übersetzt, daß er nach der Ermittlung der Wörter (und allenfalls der Wendungen), die im Originaltext vorkommen, und deren Entsprechungen in der anderen Sprache nun die Originalsätze in dieser anderen Sprache mit dem so gefundenen Material auf Grund syntaktischer Regeln nachbildet. Sollte es bei den Sätzen nicht auch so sein, daß bestimmten syntaktischen Erscheinungen (Satzteilen und Sätzen) der einen Sprache immer ganz bestimmte syntaktische Erscheinungen der anderen Sprache entsprechen? Das JA liegt auf der Hand, aber wer handelt schon danach? Da wird munter wörtlich drauflos übersetzt, wie in unserem Beispiel auf Seite 10.
Damit wären wir aber schon mitten im Problem des Übersetzens und haben noch nicht geklärt, was Übersetzen eigentlich ist, das heißt von welchen Prinzipien das Übersetzen getragen wird.

D Was ist Übersetzen?

Daß es Übersetzungen zu allen Zeiten gegeben hat, läßt sich ebensowenig bestreiten, wie daß es Übersetzungen auch in Zukunft geben muß – heute noch mehr als je zuvor. Das scheint eine Binsenwahrheit. Aber es sieht sogleich anders aus, wenn man sich vergegenwärtigt, wie oft die glatte Unmöglichkeit des Übersetzens behauptet worden ist:
Wilhelm von Humboldt hat einmal gesagt: „Alles Übersetzen scheint mir schlechterdings ein Versuch zur Auflösung einer unmöglichen Aufgabe. Denn jeder Übersetzer muß immer an einer der beiden Klippen scheitern, sich entweder auf Kosten des Geschmacks und der Sprache seiner Nation zu genau an sein Original oder auf

[20]) Beispiele zum Teil nach L. H. Paulovsky, *Errors in English*, Verlag Jugend und Volk, Wien, 1949.

Kosten seines Originals zu sehr an die Eigentümlichkeit seiner Nation zu halten. Das Mittel hierzwischen ist nicht bloß schwer, sondern geradezu unmöglich." [21])
Jean Paul: „Es ist ein böses Zeichen, wenn ein Autor ganz zu übersetzen ist, und ein Franzose könnt' es so ausdrücken: Ein Kunstwerk, das einer Übersetzung fähig ist, ist keiner wert."
Die beiden Grundprinzipien des Übersetzens hat Goethe klar herausgestellt: „Es gibt zwei Übersetzungsmaximen: die eine verlangt, daß der Autor einer fremden Nation zu uns herübergebracht werde, dergestalt, daß wir ihn als den unsrigen ansehen können; die andere hingegen macht an uns die Forderung, daß wir uns zu dem Fremden hinüberbegeben und uns in seine Zustände, seine Sprachweise, seine Eigenheiten finden sollen."
Solch widersprüchliche Feststellungen über das Übersetzen sind viele getroffen worden. Güttinger führt sie in seinem Buch [22]) wie folgt auf:

A) Die Übersetzung soll den Sinn, den ganzen Sinn und nichts als den Sinn wiedergeben;
   a) sie soll vom Sinn in „sehr hohem Maße" absehen und nach Wörtlichkeit streben.
B) Die Übersetzung soll das Erlebnis des Originals vermitteln;
   b) sie soll dessen Kenntnis vermitteln.
C) Die Übersetzung soll auf den Leser dieselbe Wirkung tun wie das Original, auch wenn sie dazu anders aussehen muß;
   c) sie soll so aussehen wie das Original, auch wenn die Wirkung auf den Leser eine andere ist.
D) Die Übersetzung soll sprachlich der Zeit des Originals angehören;
   d) sie soll sprachlich der Zeit des Übersetzers angehören.
E) Die Übersetzung soll sich lesen wie ein Original, weil
   1) sich das Original als ein solches liest;
   2) Abweichungen vom einheimischen Sprachgebrauch den Leser bloß befremden;
   3) eine Überfremdung der Muttersprache dem Sprachgefühl des Lesers schadet;
   4) sich für Wörter und Wendungen der einen Sprache in der anderen meistens etwas Entsprechendes findet;
   e) Die Übersetzung soll als solche erkennbar sein, weil
      1) der Gedanke an die sprachliche Form gebunden und nur mit dieser übertragbar ist;
      2) deshalb vom Leser zu verlangen ist, daß er sich eine besondere Übersetzersprache aneignet;

[21]) Dies Zitat und weitere in diesem Abschnitt nach Güttinger, *Zielsprache* (vgl. Fußn. 17).
[22]) Güttinger, *Zielsprache*, Seite 39.

3) dadurch die Ausdrucksfähigkeit der eigenen Sprache erweitert wird;
4) die Wörter und Wendungen in zwei Sprachen sich nie ganz decken.

Alle diese Behauptungen sind mit Ernst und Nachdruck im Verlauf der Jahrhunderte, aber auch wieder in neuester Zeit vorgebracht worden. Schleiermacher und Ortega y Gasset (letzterer in seinem Essay „Elend und Glanz der Übersetzung"[23]) haben die Unmöglichkeit der Übersetzung behauptet, wobei Ortega für eine ganz wörtliche Übersetzung eintritt, die keinerlei Rücksicht auf die grammatisch-stilistischen Erfordernisse der Zielsprache nehmen soll.
Es lohnt sich, einige dieser Punkte durchzugehen.

A) „Die Übersetzung soll den Sinn wiedergeben – sie soll möglichst wörtlich sein."
Wohl die Urfrage der Übersetzerei, die auch vom Lernenden immer wieder gestellt wird: soll ich wörtlich oder sinngemäß übersetzen?
Nehmen wir an, ein Engländer hat im 17. Jahrhundert oder im 20. Jahrhundert einen bestimmten Text verfaßt. Dieser Text hat auf seine Leser im 17. oder 20. Jahrhundert eine bestimmte Wirkung gehabt. Es ist nun gesagt worden, der Text gehe von seinem Autor aus. So wie dieser ihn, hätte er Deutsch gekonnt, abgefaßt hätte, so sollte er als Übersetzung erscheinen. Nach dem, was wir über die Untrennbarkeit von Sprache und Denken gesagt haben, kann das nicht der richtige Weg sein. Rilke[24]) sagt denn auch (er war in Deutsch und Französisch nahezu zweisprachig): „Einige Male nahm ich das gleiche Thema französisch und deutsch vor, das sich dann, von jeder Sprache aus, zu meiner Überraschung anders entwickelte: Was sehr gegen die Natürlichkeit des Übersetzens spräche."
Die Feststellung Rilkes kann uns nicht überraschen; seine Schlußfolgerung aber ist falsch: die Natürlichkeit des Übersetzens wird nicht in Frage gestellt.
Damit, daß das Denken an die Sprache gebunden ist, daß jeder so, wie er denkt, durch die sprachgeprägten Denkbahnen seines Verstandes gelenkt wird – damit ist nicht gesagt, daß seine Gedanken in einer anderen Sprache nicht wiederholbar seien. Sie sind wiederholbar. Der Autor hat seinen Text für Leser seiner Sprache geschrieben; hätte er in einer anderen Sprache geschrieben, wäre es für Leser in dieser Sprache gewesen. Jetzt heißt die Aufgabe: der Originaltext, der von einem Engländer für Engländer geschrieben wurde, soll nun für Deutsche wiedererstehen. Das kann doch nur heißen: Deutsche wollen einen deutschen Text lesen, dessen Inhalt sie in seiner Neuartigkeit nicht kennen. Ist es entscheidend, daß sie wissen, in was für einem Hirn die Gedanken zuerst entstanden sind? Wenn Deutsche aus dem ins Deutsche übersetzten Text dieselben Eindrücke empfangen, wenn sie so reagieren wie Engländer beim Lesen des englischen Ori-

[23]) José Ortega y Gasset, *Elend und Glanz der Übersetzung*, Edition Langewiesche–Brandt, Ebenhausen–München, 1956.
[24]) Güttinger, a.a.O., Seite 227.

ginals – dann ist mit der Übersetzung das gleiche erzielt worden wie mit dem Original. Kann man, soll man von einer Übersetzung mehr verlangen?
Die gleiche Verwirrung, die hier herrscht, finden wir auch bei Punkt D: Die Übersetzung soll sprachlich der Zeit des Originals / der Zeit des Übersetzers angehören. Wenn heute jemand z. B. Pope (18. Jahrhundert) übersetzen und ihn in entsprechend altes Deutsch übertragen wollte, so wäre das eine künstliche Verfälschung. Pope war zu seiner Zeit ebenso modern wie ein Heutiger für uns modern ist. Wer Pope auf Deutsch so lesen will, wie er mit seinem 200 Jahre alten Englisch einem heutigen Engländer vorkommt, der muß versuchen, eine zeitgenössische deutsche Übersetzung ausfindig zu machen. Pope hat für seine Zeit geschrieben; ein Übersetzer der sechziger Jahre unseres Jahrhunderts schreibt für seine, das heißt unsere Zeit, also modernes Deutsch. Er tut damit nichts anderes, als was Pope vor mehr als 200 Jahren tat: er schrieb damals auch modernes Englisch.
Das Entscheidende ist also, daß die Übersetzung die gleiche Wirkung hat wie das Original.

Damit wäre zu den Punkten A bis D zu sagen:

Eine Übersetzung soll

A) den ganzen Sinn und nichts als den Sinn wiedergeben;
B) das Erlebnis des Originals vermitteln;
C) auf den Leser dieselbe Wirkung haben wie das Original;
D) sprachlich der Zeit des Übersetzers angehören.
E) Soll sich die Übersetzung nun wie ein Original lesen oder als Übersetzung erkennbar sein?

Aus dem Bisherigen ergibt sich naheliegenderweise, daß kein zwingender Grund besteht, die Übersetzung als eine solche fühlbar werden zu lassen. Einige der dafür angeführten Gründe scheinen aber bestechend:

1) Der Gedanke, so heißt es, sei an die sprachliche Form gebunden und nur mit dieser übertragbar.
Genau das habe ich darzulegen versucht, nur ist die Folgerung, wie oben schon gesagt, falsch. Die grundlegenden Gedanken, die etwa das deutsche und das englische Erziehungswesen im Laufe der Jahrhunderte so unterschiedlich werden ließen, beruhen ganz entscheidend darauf, daß *education* ein Begriff ist, der dem Deutschen fehlt. Wir sprechen von *Erziehung* und *Bildung*, und diese Zweiteilung stellt eine nicht zu überbrückende Kluft dar: der junge Deutsche von 20 Jahren ist wohl noch bereit, Bildung zu empfangen; zur Vermittlung fachlicher und allgemeiner Bildung sind Hoch- und Fachschule da. Erziehung gehört aber nicht mehr dazu. Die englischen Hoch- und Fachschulen 'provide an edu-

cation which is at once a training of the body, the character and the mind'. Was wunder, daß sich die Engländer im politischen Leben, in dem es neben dem Wissen so sehr auf charakterliche Festigkeit, Fairneß, aber auch auf Schlagfertigkeit und Draufgängertum, Toleranz und Zivilcourage ankommt, soviel leichter tun als wir, die all diese Eigenschaften nicht als Teilziele ihrer university education kennen. Das von Engländern zu diesem Thema Gedachte läßt sich aber sehr wohl auf deutsch nachvollziehen, siehe wieder unser Einleitungsbeispiel (Seite 10).

2) Daß eine besondere Übersetzersprache zu schaffen sei, ist keine Utopie; ein solcher Versuch ist tatsächlich unternommen worden in dem Bestreben, ganz wörtlich zu sein. Die Unsinnigkeit dieses Verfahrens dürfte hinreichend klar sein; es ist allenfalls zu vetreten, wenn übersetzt wird, um allein den Inhalt des Originals zu vermitteln und *dazu* die Art und Weise zu zeigen, wie das Original formuliert, wobei man sich immer wieder klarmachen muß, daß der Leser der Übersetzung einen solchen Text als befremdlich, gar als Kauderwelsch empfinden muß, der Leser des Originals aber nicht:

   „Sokrates sagt, daß das Schöne schwierig ist, zu lernen, wie es sich verhält" (Schleiermacher, Platons Kratylos[25]).

   Platons Zeitgenossen lasen aber einen Text, der sie etwa so ansprach wie uns der Satz:

   „Sokrates sagt, daß es schwierig ist zu lernen, wie es sich mit dem Schönen verhält."

3) Die Übersetzung soll als solche erkennbar sein, weil dadurch die Ausdrucksfähigkeit der eigenen Sprache erweitert werde. Indem man deutsche Wörter etwa englischem Vorbild nachgestaltet, wird tatsächlich Neues im Deutschen geschaffen – damit ist aber nur etwas Positives geleistet, wenn das Neue in der Sprache bisher fehlte, wenn ein Bedürfnis dafür bestand, wenn das neue Wort wenigstens eine bisher in der betreffenden Sprache unbekannte Nuancierung ermöglicht *(lächerlich/ridikül; Tendenz/Trend).* Sonst kann das neugeschaffene Wort nur ein künstliches Leben in der Sprache führen.

   Was viel eher eintritt, ist die Verwässerung der Zielsprache: *Er kann das nicht realisieren* heißt im Deutschen immer noch: *er kann das nicht verwirklichen,* wird aber, dem Englischen folgend, immer öfter verwendet im Sinne von: *er kann sich das nicht klarmachen.*

   Kontrollieren heißt *nachprüfen, ob es in Ordnung ist, ob jemand seinen Fahrschein hat* usw. Immer mehr wird es bei gleichen Objekten verwendet im englischen Sinne von *beherrschen, manipulieren* (den Markt kontrollieren; die Meere kontrollieren).

[25]) Güttinger, a.a.O., Seite 22.

Das schon zitierte Buch von Benjamin Lee Whorf, *Language, Thought and Reality*, liegt in einer an sich brauchbaren Übersetzung von Peter Krausser vor[26]). Dort heißt es an einer Stelle: „Ebenso gilt – vom Gelehrten wie vom Angehörigen eines sogenannten primitiven Stammes: alle benutzen ihr persönliches Bewußtsein in gleichermaßen einfältiger Weise und alle geraten in gleichartige logische Sackgassen. Sie wissen genauso wenig von den schönen und unerbittlichen (sprachlichen) Systemen, deren Kontrolle sie unterliegen, wie ein Kuhhirte (etwas weiß) von kosmischen Strahlen."
Diese Menschen werden von sprachlichen Systemen nicht *überprüft*, sondern *restlos beherrscht*. Und *Beherrschung* oder *Lenkung, Macht* wäre das einzig Richtige hier gewesen.
Ebenda: „Die natürliche Logik enthält zwei Fehler: Sie sieht nicht, daß die Sprachphänomene für den Sprechenden weithin Hintergrundscharakter haben und mithin außerhalb seines kritischen Bewußtseins und seiner Kontrolle bleiben." Irreführend falsch. *Überprüfen* könnte der Mensch die sprachlichen Phänomene schon, aber er kann sie nicht *beherrschen*, er hat sie nicht in der Gewalt!
Ein weiteres Beispiel aus diesem Buch: „Wenn moderne chinesische oder türkische Naturwissenschaftler die Welt in den gleichen Termini wie die westlichen Wissenschaftler beschreiben, so bedeutet dies natürlich nur, daß sie das westliche System der Rationalisierung in toto übernommen haben, nicht aber, daß sie dieses System von ihrem eigenen muttersprachlichen Gesichtspunkt aus mitaufgebaut haben." Dieser Satz ist im Lichte früher gemachter Ausführungen interessant, nur – wer versteht ihn richtig? Nur der, der außer Deutsch auch die Originalsprache (in diesem Fall Englisch) kann und weiß, daß *Rationalisierung* – englisch *rationalization* – soviel bedeutet wie *vernunftgemäße Erklärung:* die chinesischen oder türkischen Wissenschaftler haben das westliche System der vernunftgemäßen Erklärung der Welt als Ganzes übernommen.
Das eindeutige Verstehen der deutschen Sprache wird durch diese semantische Ausweitung bestehender Wörter *(realisieren, Kontrolle, Rationalisierung)*, die ja nicht auf deutschem Boden gewachsen ist, stark beeinträchtigt.

4) Die Übersetzung soll als solche erkennbar sein, weil sich die Wörter und die Wendungen zweier Sprachen in ihren Bedeutungen nie ganz decken. Wie richtig! Aber welch falscher Schluß!
Um zu verstehen, um was es hier geht, braucht man gar nicht zwei Sprachen zu vergleichen. Man hat mit Recht gefragt, wie es eigentlich kommt, daß zwei Menschen derselben Sprache sich verstehen, wo doch so viele Wörter so viele mehr oder weniger voneinander abweichende Bedeutungen in sich vereinigen. Dabei

[26]) Vgl. Fußnote 3. Die drei hier zitierten Stellen finden sich auf den Seiten 59, 10, 13.

sind die einander ähnlichen Bedeutungen eines Wortes noch viel schlimmer als die ganz verschiedenen. Ob das englische Wort *litter Tragbahre* oder *Wurf junger Tiere* oder *umherliegender Abfall* bedeutet – das zu entscheiden, dürfte nicht schwer sein. Ob aber litter *Tragbahre* oder *Sänfte* bedeutet, ist in vielen Fällen vielleicht nicht sofort klar. Schwieriger wird es dann auch mit weniger konkreten Begriffen wie *physical:* entspricht das deutschem *physikalisch / physisch / körperlich / äußerlich?* (Dabei sind die deutschen Begriffe hier ja nur hilfsweise verwendet, um die Schattierungen von *physical* deutlich zu machen).
Oder nehmen wir das deutsche Wort *ernst:* woher wissen wir eigentlich, ob es bedeutet a) nicht lustig, b) nicht spaßig, c) nicht leicht zu nehmen, d) voll möglicher negativer Konsequenzen, e) nicht nur zur Probe oder zum Spaß?
Das wissen wir nur und können wir nur wissen, wenn wir dem Wort ernst im *Kontext* begegnen: a) er machte ein ernstes Gesicht; b) er meint es ernst; c) ein ernstes Problem; d) die Lage ist ernst; e) die Ehe ist eine ernste Aufgabe.
Dabei sind die anderen Wörter, die in diesen ganz kurzen Beispielen vorkommen, alles andere als selbst eindeutig: *machen, meinen, Lage, Aufgabe* sind Wörter, die in vielerlei Bedeutungen und Bedeutungsschattierungen vorkommen. Wenn Wörter aber zu einem Satz richtig zusammengefügt werden, dann ergibt sich für jedes einzelne Wort nur *eine* Bedeutung und für den ganzen Satz nur *ein* Sinn.
Wenn Wörter *richtig* zusammengefügt werden: das würde gemeinhin so verstanden werden, daß den Grammatikregeln Genüge getan wird. Gut – aber vor allem ist wichtig, daß die Wörter *semantisch richtig* zueinander gefügt werden. Warum sagen wir nicht: *er tat ein ernstes Gesicht* oder *er machte ein ernstes Antlitz?* Oder: *er denkt (fühlt, empfindet, beabsichtigt) es ernst?* Weil sich eine sinnvolle Zusammenfügung von Einzelbedeutungen der betreffenden Wörter nicht einstellt. Der Satz bleibt sinn-los, obwohl von den in den Wörtern steckenden Einzelbedeutungen her gesehen ein sinnvoller Gedanke durchaus möglich sein müßte. Möglich schon – aber bis jetzt eben nicht realisiert (was nur richtig verstanden ist im Sinne von: bis jetzt nicht *verwirklicht* und nicht *gedanklich vollzogen).*
Hebbel[27]) hat schon richtig gesagt: „Warum ist das Übersetzen so schwer? Weil die Wörter verschiedener Sprachen sich nur in den seltensten Fällen vollständig decken, da die verschiedenen Völker mit Notwendigkeit an den Dingen durch ihre Sprachen die verschiedensten Eigenschaften mit Vorliebe hervorheben." Übersehen hat er nur, daß wir nicht Wörter übersetzen, sondern Sinnganzes, Gedanken, und dieses ist in der anderen Sprache als Ganzes nachzuvollziehen.

---

[27]) Güttinger, a.a.O., Seite 224.

Das Gesamtergebnis unserer Überlegungen ist also dies:

I) Beim Übergang von einer Sprache zur anderen erwarten wir:

A) das Wort der Zielsprache ist formal und inhaltlich anders als das Wort der Ausgangssprache

B) die Wendung der Zielsprache ist formal und inhaltlich anders als die Wendung der Ausgangssprache

C) der Satz der Zielsprache ist formal, das heißt strukturell (als Modell, pattern) anders als der Satz der Ausgangssprache. Aber die wohl unendliche Vielfalt der Möglichkeiten, Wörter und Wendungen zu Sätzen zusammenzufügen, gestattet es uns, den *Inhalt* der Sätze der Ausgangssprache in der Zielsprache nachzugestalten.

II) Die Maßstäbe des Übersetzens sind:

A) die Übersetzung soll den Sinn des Originals richtig und vollständig wiedergeben

B) die Übersetzung soll auf ihre Leser dieselbe Wirkung haben wie das Original auf seine Leser

C) die Übersetzung soll sich lesen wie ein Original, das heißt sie soll nicht schon rein sprachlich als Übersetzung fühlbar sein.

In diesem Sinne hat Schiller gesagt: „Von einer Übersetzung fordre ich, daß sie den Genius der Sprache, in der sie geschrieben ist, nicht aber den der Originalsprache atme." [28])

Diese Äußerung Schillers bestätigt aber nicht nur das Gesamtergebnis unserer Überlegungen, sondern sagt zugleich, daß man die Sprache, in die man übersetzt, besonders gut kennen muß. Nun besteht überall Einigkeit, daß man nur in die Muttersprache verantwortlich übersetzen kann. Georg C. Lichtenberg, Physiker und durch seine Aphorismen berühmt gewordener Schriftsteller des 18. Jahrhunderts, hat schon gesagt: „Ist es nicht sonderbar, daß eine wörtliche Übersetzung fast immer eine schlechte ist? Und doch läßt sich alles gut übersetzen. Man sieht hieraus, wieviel es sagen will, eine Sprache ganz verstehen; es heißt, das Volk ganz kennen, das sie spricht." Das aber heißt, fährt Güttinger [29]) fort, die Vorstellungen kennen, die der einheimische Sprecher mit einem Wort verbindet, und das ist etwas, das für den Fremdsprachigen nie völlig erreichbar ist. Nur in der eigenen Sprache kennen wir den Gefühlswert der Wörter in ihrem ganzen Erlebniszusammenhang.

Für alles literarische Übersetzen – und dieses allein hatten die meisten im Auge, die sich zum Thema Übersetzen äußerten – gilt also, daß in die Muttersprache übersetzt wird. Da technisches Übersetzen keineswegs nur aus Fachwörtern besteht, er-

---

[28]) Güttinger, a.a.O., Seite 229.

[29]) a.a.O., Seite 19.

hellt schon hieraus, welch hohen Schwierigkeitsgrad das technische Übersetzen in die Fremdsprache bietet, denn alle Übersetzungsgrundsätze, die wir oben festgestellt haben, gelten auch hier uneingeschränkt.
Es gehört nun zu den häufigsten Sünden der Übersetzer, daß sie ihre Muttersprache vernachlässigen. Dabei hat Lichtenberg schon gesagt: „Ich bin eigentlich nach England gegangen, um deutsch schreiben zu lernen." Der englische Schriftsteller Hilaire Belloc (gest. 1953) meint dazu: „Wenn aber ein Übersetzer seine eigene Sprache mangelhaft handhabt, wenn er sie nicht gut zu schreiben versteht, dann muß die Übersetzung durchweg schlecht werden, wie gut auch der Text verstanden worden sein mag." Aus den Ausführungen, die oben zum Wesen der Sprache gemacht wurden, ging ja nicht zuletzt auch die Tatsache hervor, daß wir unsere Muttersprache erst voll und ganz begreifen lernen, wenn wir uns ihr von außen, das heißt von einer anderen Sprache her nähern, wenn wir diese also gründlich erlernen und dadurch mit unserer Muttersprache in Beziehung setzen[30]).
Wenn wir jetzt zu den in der Einleitung gestellten Fragen zurückkehren, dann wäre zu sagen: sinnvolles Übersetzenlernen sollte sich in drei Stufen vollziehen. Als erstes sollte eine möglichst solide Grundlage in der Fremdsprache gelegt werden, ohne jeglichen Vergleich mit der Muttersprache, so daß Wortschatz und Grammatik sich als eine möglichst geschlossene einsprachige Einheit im Lernenden festigen. Auf der zweiten Stufe sollte dann der systematische Vergleich zwischen Muttersprache und Fremdsprache einsetzen. Anhand von zusammenhängenden Texten ist das kaum möglich, weil in einem einzelnen Text ein bestimmtes, zum Beispiel für das Verhältnis Deutsch–Englisch typisches Phänomen bestenfalls zweimal, in der Regel aber nur einmal vorkommt. Um dem Lernenden aber einzuleuchten, vor allem aber um fester, aktiver Besitz des zukünftigen Übersetzers zu werden, bedarf eine Gesetzmäßigkeit zahlreicher gleichartiger Beispiele. Deshalb sollte diese zweite Stufe aus Satzbeispielen bestehen, die nach Übersetzungsprinzipien geordnet sind. Die dritte Stufe sollte dann in der Übersetzung zusammenhängender Texte bestehen.
Der folgende Teil dieses Buches will nun für das Englische und das Deutsche eine Reihe von Übersetzungsprinzipien in dem oben geforderten Sinne anhand zahlreicher systematisch geordneter Beispiele bieten.

[30]) W. Friederich, Der muttersprachliche Spiegel der Fremdsprache, PRAXIS 3/63, Seite 138.

Teil II

Übersetzungsprinzipien für das englisch-deutsche, deutsch-englische Übersetzen

Im zweiten Teil dieses Buches werden 25 Gruppen von Beispielen in englisch-deutscher oder deutsch-englischer Gegenüberstellung vorgeführt, die bestimmte Übersetzungsprinzipien veranschaulichen sollen. Daß es sich hierbei nicht um Gesetze in irgendeinem grammatischen oder sprachwissenschaftlichen Sinne handelt, braucht wohl nicht besonders betont zu werden. Vielmehr handelt es sich um immer wieder anzutreffende, für die jeweiligen Sprachen typische strukturelle Eigenheiten, die von Sprache zu Sprache in einer gewissen Relation stehen. Sie zu kennen und in der Praxis anzuwenden hat sich im Alltag des Übersetzens als so hilfreich erwiesen, daß man getrost sagen kann: diese lexikalisch-syntaktisch-stilistischen Gesetzmäßigkeiten bilden für den Umgang mit zwei Sprachen – das Übersetzen – eine ebenso notwendige und verläßliche Grundlage wie die Gesetzmäßigkeiten der Grammatik für den Umgang mit einer Sprache – den Spracherwerb.
In allen Beispielen, die hier folgen, ist das Englische entweder ein Originaltext (dann steht er in der linken Spalte) oder eine von Engländern angefertigte Übersetzung (dann steht er in der rechten Spalte). Die Quellen sind im Literaturverzeichnis auf Seite 146 genannt. Sie bei jedem Beispiel anzugeben erschien wenig sinnvoll, da hier ja nicht bestimmte Autoren oder Sprachbereiche (Romane, Publizistik usw.) miteinander verglichen werden sollen. Auch britisch-amerikanische Unterschiede fallen hier nicht ins Gewicht.
Die Reihenfolge der 25 Gruppen ist nicht willkürlich, sondern folgt dem Prinzip ‚Vom Einfacheren zum Komplexeren'. Es ist aber keineswegs sinnvoll, das Ganze hintereinander durchzulesen oder durchzuarbeiten. Den größten Gewinn hat man sicherlich, wenn man die Kapitel einzeln vornimmt und nach ihrer Durcharbeitung versucht, weitere Beispiele in der Lektüre oder in der übersetzerischen Praxis zu entdecken und dann dieses Prinzip bei der eigenen Arbeit auch anzuwenden. Die hier gebotenen Beispiele durch eigene Funde zu ergänzen ist die beste Gewähr dafür, daß der dargebotene Lehrstoff voll und ganz eigener geistiger Besitz wird.

I. Kollektivbegriffe im Deutschen

In der deutschen Sprache sind Kollektivvorstellungen und dementsprechend Wörter zum Ausdruck solcher Vorstellungen etwas ganz Geläufiges. Von vielen Wörtern, die keinen Kollektivbegriff bezeichnen, lassen sich durch Präfixe und Suffixe solche Kollektiva bilden, etwa *Berg – Gebirge, Busch – Gebüsch, Geschwister, Muskulatur, Apparatur* u. a. Es darf aber nicht übersehen werden, daß auch ganz andere Wörter Kollektivvorstellungen enthalten, etwa *Besteck, Teigwaren, Genußmittel* oder substantivierte Infinitive wie *das Erleben, das Denken, unser Wollen* usw. Schließlich enthalten Wörter, die an sich eine Einzelvorstellung bezeichnen, in einem bestimmten Kontext offensichtlich eine Kollektivvorstellung:

1	Mit *Jubel* und *Umarmung* wird der Großvater begrüßt.	Grandpa is received with *rejoicings* and *embraces*.

Dieses Beispiel zeigt nun, wie man im Englischen diesen Kollektiva beikommen kann: durch Setzen des Plurals der entsprechenden englischen Äquivalente.

2	Gebirge; Gebüsch; Geschirr	mountains; bushes; dishes
3	Besteck	knife, fork and spoon
4	Geschwister	brothers and sisters

Wenn das Kollektivum verschiedene Dinge umfaßt, dann muß man sie, wie Beispiele 3 und 4 zeigen, auch nennen. Wenn diese Teile im Plural nicht auftreten können, dann besteht die Wiedergabe des deutschen Kollektivbegriffs im Englischen in der Aufzählung der Einzelteile im Singular:

5	Genußmittel	coffee, tea, cocoa, etc.
6	Teigwaren	macaroni, spaghetti, vermicelli and noodles

Hier ist es lohnend anzumerken, daß in neuester Zeit das italienische Wort *pasta* immer häufiger im Sinne von *Teigwaren* verwendet wird.
Ein verbreitetes Suffix zur Bildung von Kollektiva im Deutschen ist *-schaft:*

7	Bürgerschaft, Verwandtschaft Lehrerschaft; Ärzteschaft	citizens, relations (body of) teachers; (body of) medical men (physicians)

Gerade bei den Kollektiva auf *-schaft* stellen sich im Englischen leicht andere Lösungen ein, etwa *Bürgerschaft citizenry, Genossenschaft cooperative, Gemeinschaft community,* ganz zu schweigen etwa von *Erbschaft inheritance, Barschaft ready cash* usw. Es lohnt sich aber doch, das Prinzip festzuhalten, daß deutschen Kollektivvorstellungen im Englischen sehr gern Pluralbildungen entsprechen, besonders – wie die folgenden Beispiele zeigen werden – wenn es sich um Abstrakta handelt.

8	Wenn ich abends müde von der Arbeit nach Hause komme, den ganzen *Ärger* des Tages noch auf meiner	When I come home in the evening, tired from my work, all the *worries* of the day still tingling in my blood,

	Haut, ist mein Gruß meist nicht zärtlich zu dir, oft mürrisch, oft auch ganz vergessen.	my "Good evening" to you is not usually very affectionate, often sullen, often quite absent-minded.
9	Brachte ich dir nicht jeden Tag die ganzen Sorgen meines Berufes, auch meine Freuden, und nahm selbstverständlich hin, es seien plötzlich deine Sorgen, deine Freuden, so fern sie auch deinem eigenen früheren *Empfinden* liegen mußten? Und bald kam die Zeit, da fragtest du schon von selbst nach meinem *Erleben*, um daran teilzunehmen.	Did I not daily lay all the cares of my profession at your feet, and my joys besides, and took it for granted that you should suddenly feel them to be your own cares and joys, far removed as they might be from your own former *sentiments?* And soon the time came when you yourself enquired after my *experiences* in order to take part in them.
10	Wenn ihr uns dann eine ausweichende Antwort gebt, um uns nicht mit eurem *Leid* und eurer *Sorge* zu belasten, kehren wir schnell beruhigt in unsere eigene *Gedankenwelt* zurück und –.	If you then give us an evasive answer, so as not to burden us with your *sorrows* and *cares,* we quickly return to our own *thoughts* quite reassured, and –.
11	Und mit der Lenkung des *Denkens* auf das Übersinnliche wird die Bedeutung sittlicher Werte lebendig werden und in unserem *Wollen* zur Geltung kommen.	And in turning our *thoughts* to the supernatural, the importance of ethical values will become alive and gain prevalence in our *resolutions.*
12	Gehorche der *Obrigkeit* und überlasse es anderen, sich über *sie* zu streiten.	Obey the *authorities* and leave it to others to argue about *them.*
13	Am 19. Mai 1898 erlöste der Tod ihn (Gladstone) von schwerem *Leiden.*	On May 19th, 1898, death released him from his severe *sufferings.*
14	Denn sie kennt die Anzeichen von Premierenfieber ganz genau, als da sind ganz überflüssiges *Gefrage* nach Fleisch- und Gemüsepreisen, Topfgucken, –.	For she knows exactly the symptoms of Monsieur's first-night excitement, namely quite superfluous *enquiries* as to the prices of meat and vegetables, peeping into the saucepans, –.

Eine besondere Art typisch deutscher Kollektiva sei noch erwähnt, nämlich die kollektiven Komposita, vor allem solche mit *-wesen.* Auch hier ist im Englischen oft eine Lösung mit Hilfe des Plurals möglich:

15	das Eisenbahnwesen	the railways (US railroads)
16	das Schulwesen	the schools; school affairs
17	das Transportwesen	transport facilities
18	Welche Weltanschauungen kommen in Betracht, wenn vom derzeitigen westdeutschen *Parteiwesen* die Rede ist?	What creeds must be taken into account in speaking of the present *parties* of Western Germany?
19	In Amerika glaubte man, die wütenden *Wassermassen* seien eine Erfindung der entmenschten Russen.	In America it was believed that the angry *waters* were an invention of the inhuman Russians.
20	– kehren wir schnell beruhigt in unsere eigene *Gedankenwelt* zurück. *(siehe oben Satz 10)*	– we quickly return to our own *thoughts* quite reassured.

II. Plurale englischer Abstrakta

War Beispielgruppe I ein Komplex von Sätzen für das deutsch-englische Übersetzen, so haben wir es in dieser Gruppe mit englisch-deutschen Übersetzungen zu tun, die freilich mit der vorigen Gruppe in Zusammenhang stehen.
Die englische Sprache geht in der Möglichkeit, Pluralformen zu bilden, wesentlich weiter als das Deutsche. Formen wie *suspicions, hatreds, consciousnesses* sind alles andere als selten oder ungewöhnlich. Wie kann man ihnen in der Übersetzung gerecht werden? Manchmal mag der Singular ausreichend erscheinen, aber eine gewisse Ungenauigkeit bleibt dabei mindestens bestehen. Eine in ihrer Präzision wirklich befriedigende Übersetzung ergibt sich erst, wenn auch der deutsche Text eine Pluralform bietet. Das ist aber nur möglich, wenn der deutsche Begriff zu einem Kompositum erweitert wird.
Zu dem deutschen Wort *Haß* gibt es keinen Plural, wohl aber zu *Haßgefühl, Haßausbruch;* also muß man *hatreds* mit einem dieser Wörter übersetzen. Entsprechende Lösungen lassen sich für *suspicions* und *consciousnesses* finden: *Verdachtsmomente, Verdachtsgründe, Verdächtigungen: Bewußtseinsinhalte, Bewußtseinsvorstellungen.* Die Wahl des deutschen Ausdrucks hängt natürlich vom Kontext ab.

21	I also know the misconceptions and *suspicions* Europe harbours.	Ich kenne auch die falschen Vorstellungen und *Verdachtsmomente (-gründe, Verdächtigungen)*, die man in Europa hat.

22	But even the North, which from a distance looks so monolithic, has its own *complexities*. For in the northernmost section, lying along the desert boundaries, a Fulani ruling class overlies a massive Hausa-speaking stratum.	Aber selbst im Norden, der aus der Ferne einen so geschlossenen Eindruck macht, bestehen *komplizierte Verhältnisse*. Im nördlichsten Teil entlang den Wüstengrenzen überlagert nämlich eine Oberschicht der Fulani eine riesige Schicht von Haussa-Sprechern.
23	Western man subordinated *religious loyalties* to national ones.	Der westliche Mensch hat *die religiösen Gefühle der Treue* (oder *die Bindungen religiöser Treue*) den nationalen (*oder* denen nationaler Treue) untergeordnet.
24	A style full of jargon, *obscurities* and *inexactitudes*, since it requires no thought, is easy to write – but it is not easy to read.	Ein Stil, bei dem es von fachsprachlichen Ausdrücken, *dunklen und ungenauen Stellen* wimmelt, läßt sich, da man dabei nicht denken muß (*oder* er kein Denken erfordert), leicht schreiben – aber er läßt sich nicht leicht lesen.
25	This short story bears *resemblances* to a story I read some weeks ago.	Diese Kurzgeschichte weist *ähnliche Züge* auf wie eine Geschichte, die ich vor ein paar Wochen las.
26	N. accepts the theory of a race spirit or group consciousness, which is not merely the sum of individual *consciousnesses*.	N. nimmt die Theorie eines Rassengeistes oder Gruppenbewußtseins an, das nicht einfach die Summe individueller *Bewußtseinsinhalte* (oder *-vorstellungen*) ist.
27	The British are an unpredictable people in their domestic and architectural *tastes*. (Vgl. Beispiel 327.)	Bei den Engländern sind die *Geschmacksrichtungen* in der Innen- und Außenarchitektur nicht im voraus zu bestimmen.
28	For not only was Dickens a natural actor and therefore fascinated by himself but, even more like an actor, he suffered *agonies of anxiety* in case other people, his audience, should fail to be fascinated, too.	Dickens war nämlich nicht nur ein geborener Schauspieler und daher von sich selbst fasziniert; mehr noch als ein Schauspieler litt er unter *qualvollen Angstvorstellungen*, andere Leute, seine Zuhörer, könnten nicht ebenfalls fasziniert sein.

29	*Attendances* at the professional theatres have dropped sharply.	Die *Besucherzahlen* in den Theatern sind stark zurückgegangen.
30	Of all the Spanish *Easters,* the most famous and most spectacular is celebrated in Seville.	Unter allen spanischen *Osterfesten* ist das in Sevilla gefeierte das berühmteste und eindrucksvollste.

Zwei weitere Beispiele mögen folgen, die sehr schön den Zusammenhang der Gruppen I und II aufzeigen. In den bisherigen Beispielen war es eindeutig, daß die englischen Plurale eine Summe von Einzelvorstellungen (und nicht Kollektivvorstellungen) ausdrückten. Bei den Sätzen 31 und 32 sieht das anders aus:

31	We Europeans still live today in the last phase of this age of the multifarious sovereign states, and still suffer from *the hatreds, hostilities* and *suspicions* it engendered.	Wir Europäer leben noch heute in der letzten Phase dieses Zeitalters der mannigfachen Souveränstaaten; wir haben noch immer unter *den Haßgefühlen, den Feindschaften, den Verdächtigungen* zu leiden, die damals entfacht wurden.
32	The eighteenth century saw the appearance of a literature profoundly sceptical and critical of the courts and *policies* of the time.	Das 18. Jahrhundert erlebte die Entstehung einer Literatur, die den Höfen und den *politischen Praktiken* (schärfer: *Machenschaften*) der damaligen Zeit höchst skeptisch und kritisch gegenüberstand.

Hier wäre eine Übersetzung für 31 „wir haben noch immer unter dem Haß, der Feindseligkeit, dem Argwohn zu leiden" und für 32 „den Höfen und der Politik der damaligen Zeit" durchaus denkbar. Ja, wenn umgekehrt die deutschen Sätze ins Englische zu übertragen wären, dann müßte man an unsere Gruppe I denken und solche Kollektivvorstellungen wie *Haß, Argwohn, Politik* in unseren Kontexten mit den Pluralen *hatreds, suspicions, policies* wiedergeben. Kollektivvorstellungen wären auch bei einigen der obigen Beispiele denkbar, so daß die Übersetzung mit einem Singular möglich wird: Satz 23 (religiöse Treue), Satz 24 (voll von Fachsprache, Unklarheit und Ungenauigkeit), Satz 27 (Geschmack). Wesentlich klarer und überzeugender aber sind die oben gegebenen Fassungen.

III. ‚Eins durch zwei' oder Hendiadyoin

In einem nach dem zweiten Weltkrieg erschienenen, hervorragend geschriebenen Lektüreheft über das England nach 1945 (Eric Orton, Life in Postwar England) stehen folgende zwei Sätze:

33 The coloured advertisements which were flashing everywhere gave this shopping-centre an additional beauty and magic.

34 Apart from its fine, modern University, Birmingham has few buildings of individuality and charm.

Ist in Satz 33, der von der Londoner Oxford Street handelt, davon die Rede, daß dieses Einkaufszentrum erstens *beauty* und zweitens *magic* besitze? Oder im zweiten Beispiel davon, daß Birminghamer Gebäude einmal *individuality* und dann *charm* aufweisen? Doch wohl nicht. Jede Übersetzung in dieser Richtung ergibt im Deutschen etwas höchst Unbefriedigendes. Dem Englischen eher gerecht werden dagegen Fassungen wie:

33	The coloured advertisements which were flashing everywhere gave this shopping-centre an additional *beauty and magic.*	Die bunte Reklame, die überall aufleuchtete, gab diesem Einkaufszentrum darüber hinaus eine *zauberhafte Schönheit.*
34	Apart from its fine, modern University, Birmingham has few buildings of *individuality and charm.*	Abgesehen von seiner schönen modernen Universität hat Birmingham wenig Gebäude von *eigenem Reiz.*

Wir finden also: beauty and magic / zauberhafte Schönheit; individuality and charm / eigener Reiz. Im Deutschen ein modifizierter Grundbegriff – ein Substantiv, das durch ein attributives Adjektiv präzisiert wird –, im Englischen dagegen zwei parallel nebeneinander gestellte Substantive, oder im Deutschen ein Substantiv, im Englischen zwei: eines durch zwei ausgedrückt – mit dem griechischen Fachwort als Hendiadyoin bezeichnet, was wörtlich ‚eins durch zwei' bedeutet.

Eine Reihe von hierhergehörigen Wendungen möge folgen:

35	Laughter and happiness	glückliches Lachen
36	grief and despair	verzweiflungsvoller Kummer
37	fog and mist	starker Nebel
38	passion and excitement	leidenschaftliche Erregung
39	sanity and reason	gesunder Menschenverstand

Und eine Reihe von Satzbeispielen:

40	His boots are caked with *mud and wet.*	Seine Stiefel sind mit *nassem Schmutz* bedeckt.
41	Today the *care and attention* given to the art of public speaking has sensibly declined.	Heutzutage ist die *sorgfältige Beachtung,* die man der Kunst der öffentlichen Rede schenkt, merklich geringer geworden.

42	But these niceties were soon abandoned in an orgy of *defamation and vilification.*	Aber diese Feinheiten gingen bald in einer Orgie *schmählichster Verleumdungen* unter.
43	The result of it being double-blended is truly an example of the *excellence and craftsmanship* of German tobacco laboratories.	Das Ergebnis der Doppelmischung ist wahrhaftig ein Beispiel der *überragenden Leistung(sfähigkeit)* deutscher Tabaklaboratorien.
44	Webb and his wife were a unique pair of single-minded, whole-hearted, and indefatigable *investigators and researchers.*	Webb und seine Frau waren ein einzigartiges Paar zielbewußter, aufrichtiger und unermüdlicher *tiefschürfender Forscher.*
45	– and the baffling obscurity which shrouds so much that we should like to know has been *a challenge and an attraction* to generations of researchers.	– und das erstaunliche Dunkel, das so vieles umhüllt, das wir gern wissen möchten, war für Generationen von Forschern immer wieder *eine ebenso schwierige wie reizvolle Aufgabe.*

Wie schon die Beispiele 36–39, zu denen man noch solche Fügungen wie

46	aches and pains	starke Schmerzen

stellen könnte, zeigen, können die zu einem Hendiadyoin zusammengefügten Begriffe Synonyme sein. Dann kann das Adjektiv im Deutschen manchmal nicht mehr enthalten als eine Steigerung (Beispiele 37 und 46). Diesen Fall finden wir besonders häufig, wenn wir das Hendiadyoin bei Verben betrachten; hier liegt die deutsche Lösung in der Verbindung Verb + Adverb.

47	Bankers are often *flattered and cajoled.*	Bankiers wird oft *sehr (außerordentlich) geschmeichelt.*
48	Their (people in Society) cocktail parties, their houses and their travels to the Riviera were all *described and depicted,* for the bourgeoisie and the lower middle class of that time were passionately interested to hear what dress the Duchess of Buckinghamshire had bought –.	Ihre Cocktailpartys, ihre Häuser und ihre Reisen an die Riviera wurden alle *anschaulich geschildert,* denn das Bürgertum und die untere Mittelschicht der damaligen Zeit waren leidenschaftlich daran interessiert zu erfahren, welches Kleid sich die Herzogin von Buckinghamshire gekauft hatte –.
49	Immigration into this country has *highlighted and emphasized* the weakness and deficiencies at the	Die Einwanderung nach England hat *(sehr) nachdrücklich* die Schwächen und Mängel im Kern unseres Gesell-

	centre of our welfare and social systems.	schaftssystems und unseres Wohlfahrtsstaates *unterstrichen.*
50	And so the course of teaching at Keele has been deliberately planned *to integrate and relate* subjects from each of three main groups of learning.	Und daher ist der Studiengang in Keele absichtlich so geplant worden, daß er Fächer von drei verschiedenen Hauptgebieten der Wissenschaft *aufs engste verbindet.*

In den Sätzen 47–49 sind die fraglichen englischen Verben völlig synonym, weshalb die Übersetzungen bei 47 und 49 einfach mit der Zufügung von *sehr* arbeiten, bei 48 mit *anschaulich* (wegen *depict*) oder bei 49 mit *nachdrücklich.*
Auch bei Adjektiven ist das Hendiadyoin eine geläufige Ausdrucksmöglichkeit des Englischen:

51	direct and straightforward	rundheraus, unumwunden
52	fair and beautiful	wunderschön
53	fit and proper	sehr passend
54	loyal and faithful	höchst zuverlässig
55	nice and warm	schön warm
56	Inside everything was extremely *neat and clean.*	Das Innere war von einer *peinlichen Sauberkeit.*
57	This is an instance of *slovenly and careless* vocabulary and construction.	Dies ist ein Beispiel für *äußerst unsorgfältige* (oder *schlampige*) Verwendung von Wortschatz und Satzkonstruktion (*oder* Syntax).
58	This system has been used in preference to others because it is *exact and scientific.*	Dieses System wurde anderen vorgezogen, da es *wissenschaflich genau* ist.

Zum letzten Beispiel sei angemerkt, daß oft übersehen wird, daß *scientific* ein Synonym von *exact* sein kann und sich somit gut mit *exact* zu einem Hendiadyoin zusammenfügt.

Als letztes sei noch auf die Möglichkeit eingegangen, daß einem englischen Hendiadyoin ein einziges deutsches Wort entsprechen kann, nicht (wie bisher) ein Substantiv + Attribut, Verb + Adverb oder Adjektiv + Adverb. Da ergeben sich zunächst solche bekannten Entsprechungen wie

59	to wait and see / to sit and see	abwarten
60	to come and meet	begrüßen
61	to go to see (*or* and see)	besuchen
62	to increase by leaps and bounds	sprunghaft ansteigen

An Satzbeispielen mögen diese genügen:

63 Familien *leihen* ihre Puzzles untereinander *aus* wie Bücher.

Families *lend and borrow* puzzles from each other like books.

64 Der Höhepunkt ist die Verwandlungsszene mit magischen Effekten, mit Hexen –, mit allerlei *Geisterspuk.*

The climax is the Transformation Scene with its magic effects, with witches – and with all sorts of *spectres and ghosts.*

65 Für uns ist jede *Zustimmung* einer Frau – und sei es die kleinste – ein freiwillig gegebenes und darum in jedem Falle herrliches Geschenk.

For us, a woman's every *word of agreement* – and be it the briefest – is a voluntary gift and therefore a marvellous one.

66 In *liebevoller* Sorge begleitet sie ihren Mann (:Churchill) überall hin, damit er sich nicht zuviel zumutet.

With *tender and loving* care she follows her husband everywhere, so that he should not attempt to do too much.

67 Die abendländische Welt kann sich eine *festgefahrene* deutsch-französische Feindschaft einfach nicht leisten.

The western countries simply cannot afford a *continued and hardened* German-French enmity.

68 Und die Schotten sind den Deutschen ähnlich in ihrer *Tüchtigkeit,* ihrem Bildungshunger –.

The Scots, on their part, resemble the Germans in their *efficiency and industry,* their thirst for knowledge and –.

69 A well-known *writer and author,* understandingly aggrieved by the printing dispute, proclaims somewhat splenetically that the writer is the fellow who provides all the raw material for the industry.

Ein bekannter *Schriftsteller,* verständlicherweise tief bekümmert über den Druckerstreik, verkündet etwas verärgert, der Schriftsteller sei derjenige, der für das graphische Gewerbe den gesamten Rohstoff liefere.

Zum letzten Beispiel ist zu sagen, daß *writer* zwar allein auch oft in der Bedeutung *Schriftsteller* verwendet wird. An sich ist aber *writer* „jeder, der schreibt", so daß der Zusatz *author* die notwendige Präzisierung gibt. Im Deutschen dagegen ist ein Zusatz zu *Schriftsteller* weder nötig noch möglich.

IV. Das verneinte Gegenteil (Antonym)

Vor einer Reihe von Jahren brachte BBC eine Sendung über das metrische System, in der es unter anderem hieß:

In our complicated modern world the slightest change has so many repercussions that industry in general can be forgiven for the tendency to cling at all costs to present standards.
Wie soll man hier *forgive* übersetzen? *Verzeihen, vergeben?* Allenfalls *nachsehen* (daß man es der Industrie nachsehen kann, wenn sie dazu neigt...). Aber etwas merkwürdig bleibt die deutsche Formulierung immer noch. Anders wird es, wenn wir es so versuchen:

70	In our complicated modern world the slightest change has so many repercussions that industry in general can be *forgiven* for the tendency to cling at all costs to present standards.	In unserer komplizierten modernen Welt hat die geringste Änderung so viele Rückwirkungen, daß man es der Industrie *nicht verargen* kann, wenn sie die Neigung hat, an den derzeitigen Normen um jeden Preis festzuhalten.

Wir haben also *forgive* mit seinem Gegenteil (Antonym) *verargen* wiedergegeben, was freilich nur möglich war, indem wir dieses Antonym jetzt verneinten: *forgive* = *nicht verargen.* In dem von mir 1955 übersetzten Buch von M. Palyi, The Dollar Dilemma, das sich eingehend mit der wirtschaftlichen Situation im Nachkriegseuropa befaßt, heißt die Überschrift eines Kapitels: We too can prosper. *Auch wir können gedeihen? Florieren? Auch wir können Wohlstand haben?* Ich habe damals übersetzt:

71	We too can *prosper.*	Auch uns braucht es *nicht schlecht* zu *gehen.*

Damit dürfte das mit *prosper* Gemeinte wirklich getroffen sein. Also wieder die Übersetzung eines Wortes, für das sich ein Äquivalent in der anderen Sprache nicht einstellen wollte, durch das verneinte Antonym. Aus demselben Buch stammt auch dieses Beispiel:

72	The rigidity of the economy has *obscured* the real basis on which valid economic judgements should be made.	Die Unbeweglichkeit der Wirtschaft läßt die wahre Grundlage, auf der gültige Beurteilungen in wirtschaftlichen Dingen erfolgen sollten, *nicht erkennen.*

Weitere Beispiele:

73	– the French intend *to sit tight* and wait and see what the greater powers do or do not before committing themselves to do anything.	– Frankreich hat vor, *sich nicht zu rühren* und abzuwarten, was die größeren Mächte tun oder nicht tun, bevor es sich festlegt (verpflichtet), selbst etwas zu tun.

74	At the present stage of human development when we are all still, spiritually, *infants*, there is something frighteningly impious about such measureless capacity.	Im derzeitigen Stadium der menschlichen Entwicklung, in dem wir alle geistig noch *nicht mündig* sind, liegt etwas erschreckend Ehrfurchtsloses in solch maßloser Energie und Gewalt.
75	For both 'science' and 'history' are *ambiguous* expressions.	Denn ‚Wissenschaft' und ‚Geschichte' sind *keine eindeutigen* Ausdrücke.
76	It was doubted that his plays would retain their interest when the problems treated in them ... had *ceased to be* of immediate concern.	Es wurde bezweifelt, daß seine Stücke ihr Interesse behalten würden, wenn die darin behandelten Probleme *kein* aktuelles Anliegen *mehr waren.*
77	She gives the impression of *out-doorness.*	Sie macht *nicht* den Eindruck eines *Stubenhockers.*
78	Britain's guardian angels arranged that the 22 miles separating the Kentish coast from the mainland should be filled with a stretch of water so disagreeable that nobody in his senses would have any stomach for crossing it. So far, so good: a sensible but *dull* precaution.	Englands Schutzengel richteten es so ein, daß die 35 Kilometer, die die Küste von Kent und das Festland trennen, bedeckt sind von einem so schrecklichen Wassergebiet, daß niemand, der bei Sinnen ist, den Mumm hat, es zu überqueren. So weit, so gut. Eine vernünftige, aber *wenig phantasievolle* (oder *eine phantasielose*) Vorsichtsmaßnahme.
79	Mr. Macmillan has had his triumph, but the problems *remain.*	Macmillan hat seinen Triumph gehabt, aber die Probleme *sind* nach wie vor *ungelöst.*
80	Almost all motor-cyclists *ignored* speed limits.	Fast alle Motorradfahrer *beachteten* die Geschwindigkeitsbeschränkungen *nicht.*

Im letzten Beispiel ist *mißachten* natürlich möglich, *beachteten nicht* aber sicher das Geläufigere.

Dies Übersetzungsprinzip – einem englischen Wort entspricht im Deutschen das verneinte Antonym – läßt sich natürlich auch beim Übersetzen deutscher Texte anwenden. Eine größere Anzahl von Beispielen der vorliegenden Arbeit entstammen den in England und in USA erschienenen Übersetzungen des bekannten Kriegsromans von Willi Heinrich, Das geduldige Fleisch. Beim Vergleich von Original und Übersetzung finden wir dort folgende Beispiele:

81a)	Sie hatten *kein leichtes* Los.	You've had a *tough* time.
81b)	In Anbetracht der geringen Ausdehnung des Brückenkopfes wäre jeder Meter verlorenen Bodens eine *nicht wieder gutzumachende* Einbuße.	Given the limited extent of the bridgehead, every square yard of ground yielded would represent a *serious* loss.
81c)	Als aber Minute um Minute verstrich, *ohne daß sich dieser aus seiner Regungslosigkeit aufraffte,* riß ihm die Geduld.	But when minute after minute passed *while Steiner stood utterly motionless,* his patience gave out.
81d)	ihr ovales, *nicht unschönes* Gesicht	her *winsome* oval face

Ein interessanter Sonderfall sind hier deutsche Adjektive, die mit dem Negationspräfix *un-* zusammengesetzt sind und denen im Englischen am besten das Antonym des Grundwortes entspricht, z. B. *unweltlich – spiritual:*

82	Denn erst die Abhebung des *unweltlichen* Gottes von der Welt als seiner Schöpfung gibt dem Menschen in seiner personalen Unmittelbarkeit zu Gott ein unmittelbares Verhältnis zu sich selber.	For it was only the raising of the *spiritual* God above the world, his creation, that gives man, in his personal, direct relationship to God, a relationship to himself.
83	Freilich wurde uns zur gleichen Zeit zwar *undeutlich,* doch unangenehm bewußt, daß eben diese unteren Schichten ein ziemlich trauriges Dasein führten.	True, we were at the same time becoming *faintly* but uncomfortably aware that these lower classes led a rather disagreeable life.
84	Als er die *unverhüllte* Schadenfreude in dessen Gesicht bemerkte, straffte sich seine Gestalt.	Seeing the *naked* spite in his face, he stiffened.

Das Übersetzungsprinzip des verneinten Antonyms ist natürlich auch in der Umkehrung gültig: einem deutschen Wort entspricht im Englischen das verneinte Antonym, etwa *naheliegend – not far to seek.* Der bekannteste Fall ist hier der von *erst – not until:*

85	Wir können es *erst* im nächsten Jahr erfahren.	We shall *not* know *until* next year.
86	Verlangen Sie *erst* ein neues Buch, wenn Sie Ihres ausgelesen haben.	*Don't* ask for another book *until* you've finished this one.

Weitere Beispiele:

87	Aber dahinter steht doch noch die Anständigkeit des Landsers, die sich dagegen *sträubt*, den Kameraden im Stich zu lassen.	But behind all that there is the common soldier's fundamental decency which *doesn't permit* him to leave his comrades in the lurch.
88	Ich *gönnte* dem Gelehrten den mageren Ruhm, den er sich mit seinem Angriff gegen eine ehrwürdige literarische Tradition verdient hatte, denn inzwischen war ich ein Freund erfundener Wahrheiten geworden.	I *did not grudge* the scholar his questionable fame which he had earned by his attack on a venerable literary tradition, for meanwhile I myself had become a lover of invented verities.
89	Ein Ereignis von weltpolitischer Bedeutung schuf Ruprecht I. *denkbar* günstige Voraussetzungen.	One event of world significance created conditions that could *not conceivably* have been more propitious for Rupert.

Zum Schluß mögen einige englisch-deutsche Beispiele folgen, in denen einem verneinten englischen Wort ein nicht verneintes deutsches Äquivalent entspricht:

90	But it is *less easy* after the Great War to believe that there are great differences of character in the different strata of English society.	Aber es fällt nach dem 1. Weltkrieg *schwerer* zu glauben, es bestünden zwischen den verschiedenen Schichten der englischen Gesellschaft große charakterliche Unterschiede.
91	I heard a friend of mine use such a phrase *not long ago*.	Ich hörte einen meiner Freunde *vor kurzem (oder* vor nicht allzu langer Zeit) eine solche Wendung benutzen.
92	The legal draftsman must at all costs be *unambiguous*.	Wer juristische Texte entwirft, muß um jeden Preis *ganz eindeutig* sein.
93	There is something about the British which is felt to be *unwelcoming*, freakish and *irresponsible*.	Die Briten haben, so empfindet man, etwas *Abweisendes*, Groteskes und *Leichtsinniges* an sich.
94	He made some *unoffending* remarks.	Er machte einige *harmlose* Bemerkungen.

Als Anhang zu diesem Abschnitt seien noch die Fälle angeführt, in denen ein englisches mit *un-* oder *in-* zusammengesetztes Adjektiv im Deutschen nicht mit einem Äquivalent wiedergegeben werden kann, das mit *un-* gebildet ist. Hier ist natürlich eine Übersetzung mit *nicht (wenig, kaum)* am Platze.

95	The ship was *unseaworthy*.	Das Schiff war *nicht seetüchtig*.

96	– or when a definition is obscure or *unconvincing.*	– oder wenn eine Definition dunkel oder *nicht überzeugend* ist.
97	What, for example, if he were *unfamiliar* with the portrait and *unassisted* by the caption, would he make of the pale, serious, intellectual looking face that appears upon the cover of our present issue?	Was sollte der Leser z. B., wenn er mit dem Porträt *nicht vertraut* wäre und *nicht* die Bildunterschrift *als Hilfe hätte,* mit dem bleichen, ernsten, klug aussehenden Gesicht anfangen, das auf dem Titelblatt dieser Ausgabe erscheint?
98	This concentration of economic power, if *unchecked,* could finally give us a private Planned Economy just as tyrannical as any Public Planned Economy.	Diese Konzentration wirtschaftlicher Macht könnte uns, wenn sie *nicht eingedämmt* würde, schließlich eine private Planwirtschaft bringen, die ebenso tyrannisch wäre wie jede Planwirtschaft der Öffentlichen Hand.
99	Moreover, beauty, when *unattended* by other qualities, is a woefully overrated endowment.	Darüber hinaus ist Schönheit, wenn ihr *nicht* andere Qualitäten *zur Seite stehen,* eine jammervoll überschätzte Gabe.
100	The period of your youth coincided with the war and your early maturity with this horrible *insecure and unprosperous* peace.	Deine Jugend fiel mit dem Krieg zusammen und die Jahre der beginnenden Reife mit dieser entsetzlichen Friedenszeit *ohne Sicherheit und Wohlstand.*

Im letzten Satz wäre *insecure* zwar ohne weiteres mit *unsicher* wiederzugeben, *unprosperous* läßt aber eine ähnliche Lösung nicht zu. Man vergleiche das oben zu Satz 71 Gesagte. Da hier eine Lösung mit einem Adjektiv (*gedeihlich* o. ä.) nicht möglich ist, bleibt nur der *Wohlstand,* und damit *ohne* statt *nicht.*

V. Deutsche Adverbien, englisch verbal ausgedrückt

Dieses Kapitel ist sehr umfangreich, so daß einleitend nur einiges Besondere festgehalten werden kann. Das hier obwaltende Prinzip ist aber wohlbekannt, nur erstreckt es sich viel weiter, als gemeinhin angenommen wird. Wer sich mit dem Englischen beschäftigt, stößt bald auf die Tatsache, daß es deutsch-englische Entsprechungen gibt wie: *er tut zufällig / he happens to do; er tut gern / he likes to do; er tut wahrscheinlich / he is likely to do; leider / I'm afraid, I'm sorry; hoffentlich / I hope.*

Die Zahl solch deutsch-englischer (oder englisch-deutscher) Entsprechungen ist nun aber, wie gesagt, viel größer, so daß man das Übersetzungsprinzip dieser Gruppe V nie außer acht lassen sollte. Ein Satz wie

101	I suppose I must have fainted.	Ich vermute, ich muß ohnmächtig geworden sein (*oder gar:* daß ich . . .)

ist ein typisches Beispiel für eine Übersetzung, der man meilenweit ansieht, wie das englische Original heißen muß. Richtig also:

102	I suppose I must have fainted.	Ich muß *wohl* ohnmächtig geworden sein.

Wie die zahlreichen Beispiele, die jetzt folgen, zeigen werden, finden wir im Englischen hauptsächlich folgende drei Typen von Konstruktionen: *I suppose he does; he happens to do; he is certain to do* – also ein Vollverb mit folgendem Nebensatz, mit folgendem Infinitiv oder statt des Vollverbs die Verbindung *to be* + Adjektiv. Die verschiedenen englischen Verbalausdrücke lassen sich durchaus eindeutig deutschen Adverbien zuordnen, aber natürlich nicht immer nur einem einzigen. Der Kontext bedingt im Deutschen eine gewisse Auswahl unter synonymen Adverbien. Ebenso entspricht umgekehrt etwa einem deutschen *wohl* im Englischen nicht nur *I suppose,* sondern ebenso gut auch *I think, I presume, I daresay* usw.

103	He *used to* walk to his office every day.	*Früher* ging er jeden Tag ins Büro zu Fuß.
104	*Früher* wohnten wir auf dem Lande.	We *used* to live in the country.
105	Er war *früher* ein guter Tänzer.	He *used* to be a good dancer.
106	Das Haus war *früher* Sommersitz von so 'nem russischen Regierungsbonzen.	The house *used to* be the summer residence of some Russian government big noise.
107	He *may/might* come tomorrow.	Er kommt *vielleicht* morgen.
108	He *may* have missed the train last night.	Er hat gestern abend *vielleicht* den Zug verpaßt.
109	You *might* have found it easier to leave me out altogether.	Es wäre *vielleicht* leichter für dich gewesen, mich ganz wegzulassen.
110	Don't *keep* laughing.	Lach nicht *andauernd.*
111	My shoe-lace *keeps* coming undone.	Mein Schnürsenkel geht *ständig* auf.
112	Don't *keep* asking me.	Frag mich doch nicht *andauernd.*
113	They *continued* eating till they could eat no more.	Sie aßen *weiter,* bis sie nicht mehr konnten.
114	Prices *continued* to rise.	Die Preise stiegen *weiter.*

115	If you wish us to *continue* sending you our lists, will you be good enough to fill in this form.	Wenn wir Ihnen *weiterhin* unsere Listen zusenden sollen, würden Sie bitte diesen Vordruck ausfüllen.
116	He *failed* to appear.	Er erschien *nicht.*
117	His promises *failed* to materialize.	Seine Versprechungen erfüllten sich *nicht.*
118	I *fail* to see what you mean.	Ich begreife *nicht,* was du meinst.
119	The works have *ceased* running.	Der Betrieb arbeitet *nicht mehr.*
120	The German empire has *ceased* to exist.	Das Reich besteht *nicht mehr.*
121	The factory has *ceased* making bicycles.	Die Fabrik stellt *keine* Fahrräder *mehr* her.
122	Poujade *ceases* to be an amusing example of French individualism. He becomes a menace to democracy.	Poujade ist *kein* amüsantes Beispiel eines französischen Individualismus *mehr.* Er wird zu einer Gefahr für die Demokratie.
123	If the Zoo copies one of its opposite numbers in India and offers to sell harmless pet snakes to householders, to take the place of cats as rat catchers, it *is unlikely* to enjoy brisk sales.	Wenn unser Zoo seine Gegenstücke in Indien kopiert und harmlose Hausschlangen den Haushalten als Mäusefänger anstelle von Katzen anbietet, wird er sich *wohl kaum* lebhafter Umsätze erfreuen.
124	In recent years the triumphs of curative medicine have tended to overshadow the preventive services, which *remain* none the less the principal architects of health.	In den letzten Jahren haben die Erfolge der Heilmedizin immer mehr die prophylaktischen Einrichtungen in den Hintergrund treten lassen; trotzdem sind diese *nach wie vor* die tragenden Säulen der Gesundheit.
125	One *grows* to like what one is accustomed to.	Man gewinnt *allmählich* lieb, woran man gewöhnt ist.
126	He *grew* to believe that his endeavors were futile.	*Nach und nach* kam er zu dem Glauben, daß seine Bemühungen vergeblich waren.
127	David perceived that his father *was growing* to be an old man.	David merkte, daß sein Vater *allmählich* ein alter Mann wurde.
128	He *tends* to pitch the ball too high.	Er schlägt den Ball *leicht/gern* zu hoch.

129	Loudspeakers *tend* to become a nuisance.	Lautsprecher werden *immer mehr* zu einer Plage.
130	Don't set examples that *tend* to undermine morality.	Geben Sie keine Beispiele, die *leicht* zu einer Untergrabung der Moral führen.
131	The growth of the power of the written word since the introduction of printing, the special conversational technique of broadcasting, the immense growth in the numbers of those who do speak in councils and committees and meetings, and many changes of a similar kind, have all *tended* to lessen the interest in the more polished and more ornate kinds of speaking.	Die immer größer werdende Macht des geschriebenen Wortes seit der Erfindung des Buchdrucks, der besondere Konversationsstil des Rundfunks, die riesige Zunahme all derer, die in Rats- und Ausschußsitzungen und sonstigen Zusammenkünften sprechen müssen, sowie viele ähnliche Veränderungen haben *immer mehr* das Interesse an den verfeinerten und schmuckreicheren Formen des Redens zurücktreten lassen.

Der für *remain* gegebene Satz 124 enthält auch ein gutes Beispiel für *tend – immer mehr.*

132	He *was apt* to mope and contract diseases.	Er jammerte *leicht* herum und zog sich so Krankheiten zu.
133	He *is* a clever boy but *apt* to get into mischief.	Er ist ein kluger Junge, stellt aber *leicht* etwas Dummes an.
134	Cast iron *is apt* to break.	Gußeisen bricht *leicht.*
135	We *are* all *liable* to make mistakes occasionally.	Gelegentlich machen wir alle *leicht* (oder *unwillkürlich*) Fehler.
136	They *were liable* to be forgetful of caution in the delight of being addressed in their tongue.	Sie ließen nur *allzu leicht* in ihrer Freude darüber, daß man sie in ihrer Muttersprache anredete, alle Vorsicht außer acht.
137	I should *prefer* Jane to meet her tomorrow.	Mir wäre es *lieber,* Jane träfe sie (*oder* träfe sich mit ihr) morgen.
138	He *prefers* to write his letters rather than to dictate them.	Er schreibt seine Briefe *lieber,* statt sie zu diktieren.
139	I should *prefer* to wait until evening.	Ich warte *lieber* bis zum Abend.

140	*I think* leaders like Nicholas and others who oppose the legislation have a deeper understanding.	*Vermutlich* haben Führer wie Nicholas und andere, die sich dieser Gesetzgebung widersetzen, einen tieferen Einblick.
141	Holloway is not a very cheerful place, you know. *I imagine* no prison is.	Holloway ist kein erfreulicher Ort, weißt du. *Vermutlich* kann man das von keinem Gefängnis sagen. (Das kann man *wohl* von keinem Gefängnis sagen.)
142	*I daresay* it is only a matter of habit.	Das ist *wohl* nur eine Sache der Gewohnheit.
143	*I think* there were special reasons for the American sense of superiority.	Es gab *wohl* besondere Gründe für das amerikanische Gefühl der Überlegenheit.
144	Konzerte sind hier *anscheinend* sehr beliebt.	Concerts *seem* to be very popular here.
145	I *seem* to be deaf today.	Ich bin heute *offenbar* (oder *anscheinend*) taub.
146	Much of the increase in tonnage was due to more orders for tankers. Lloyd's say the popular size for large tankers now *appears* to be between 200,000 and 240,000 tons deadweight.	Ein guter Teil der Tonnagesteigerung war auf mehr Tankeraufträge zurückzuführen. Lloyd's sagt, die beliebteste Größe für Tanker sei jetzt *offenbar* zwischen 200,000 und 240,000 Tonnen Leergewicht.
147	One of the earliest and rarest Hebrew incunabula ... was printed at Mantua in Italy between 1474 and 1476. Only 17 other copies of this work *appear* to have survived.	Eine der frühesten und seltensten hebräischen Inkunabeln ... wurde in Mantua zwischen 1474 und 1476 gedruckt. Nur 17 weitere Exemplare dieses Buches sind *offenbar* erhalten geblieben.
148	Der Kampf um ein sittlich reines Leben setzt *offenbar* eine wesentliche Bedingung voraus.	The struggle for a good life in morality *appears* to presuppose an essential condition.
149	*As everyone knows* the problem is to find substances which are harmless to normal cells but will block the growth of malignant cells.	*Bekanntlich* besteht das Problem darin, Stoffe zu finden, die für normale Zellen unschädlich sind, jedoch das Wachstum der bösartigen Zellen hemmen.

150	*Bekanntlich* sind die Frauen eifersüchtig.	*Everyone knows* that women are jealous.
151	Ich weiß es *bestimmt* (oder *wirklich*) nicht.	*I'm sure* I don't know.
152	The weather *is sure* to be wet.	Das Wetter wird *bestimmt* naß sein. (Es wird bestimmt regnerisch sein.)
153	*You are certain* to need help.	Du brauchst *unbedingt* Hilfe.
154	Er wird *bestimmt* Erfolg haben.	He is *sure* (oder *certain*) to succeed.
155	Es wird dir *bestimmt* gefallen.	*I'm sure* you will like it (oder *You are sure* to like it).
156	Ist das *bestimmt* wahr?	*Are you sure* it is true?
157	Meinst du, daß er kommen wird? – *Bestimmt!*	Do you think he will come? – *I am sure* he will.
158	Hence *it is safe* to conclude that while the influenza epidemic, in particular, wrought some havoc among the ageing section of the population, there was no impairment of national health.	Somit kann man *mit Sicherheit* den Schluß ziehen, daß die Grippeepidemie zwar insbesondere unter der älteren Bevölkerung ziemlich verheerend wirkte, eine Beeinträchtigung der Volksgesundheit aber nicht eingetreten ist.
159	Our team *is bound* to win.	Unsere Mannschaft gewinnt *todsicher* (oder *muß einfach* gewinnen).
160	What do we *stand* to gain by the treaty?	Was werden wir *voraussichtlich* durch den Vertrag gewinnen?
161	Whoever loses, I *stand* to win.	Wenn andere verlieren – ich gewinne *bestimmt*.
162	How much do you *stand* to lose?	Wieviel werden Sie *voraussichtlich* verlieren?
163	I *have come* to see the problem in another light.	*Jetzt* sehe ich das Problem in einem anderen Licht.
164	Mrs. Wilkins, I'd like you to meet my husband. George, this is Mrs. Wilkins, who *has come* to live in the house opposite.	Mrs. Wilkins, ich würde Ihnen gerne meinen Mann vorstellen. George, das ist Mrs. Wilkins, die *jetzt* (oder *seit kurzem*) im Haus gegenüber wohnt.
165	Jim and his mother *had* recently *come* to live on the Circle Ranch.	Jim und seine Mutter lebten *seit kurzem* auf der Circle Ranch.

166	In some towns the streets *have come* to be used as parking places for motor-cars.	In einigen Städten werden *jetzt* (sogar) Straßen als Autoparkplätze verwendet.
167	It will be seen that although the name of Ford *has come* to symbolize modern American machine production all over the world he is by no means altogether a representative figure.	Es wird sich zeigen, daß Ford *heute* zwar in der ganzen Welt ein Symbol für die moderne amerikanische maschinelle Produktion geworden ist, aber trotzdem keineswegs eine durch und durch repräsentative Gestalt ist.
168	He *came* to understand what he wanted. He wanted to be a teacher.	*Allmählich* begriff er, was er wollte. Er wollte Lehrer werden.
169	But two new forms of entertainment *were coming* to occupy a great part of the Englishman's spare time.	Aber zwei neue Arten der Unterhaltung nahmen *allmählich* (oder *nach und nach*) einen Großteil der Freizeit des Engländers in Anspruch.
170	The American people had found oil on their land. They *came* to need that oil, first for illumination, then for industrial purposes.	Die Amerikaner hatten in ihrem Land Öl gefunden. *Nach und nach* brauchten sie dieses Öl zunächst für Beleuchtung, dann für industrielle Zwecke.
171	It was not till the eighteenth century that permanent buildings for soldiers *came* to be built.	Erst im 18. Jahrhundert wurden *allmählich* feste Kasernen für die Soldaten errichtet.
172	Up to the Norman Conquest, this island has a story which is different from that of other countries and we have told it in some detail because it shows how the people – the actual population – *came* to be formed, layer upon layer.	Bis zur Eroberung durch die Normannen hatte England eine von anderen Ländern abweichende Geschichte. Wir haben sie etwas eingehender dargestellt, weil sie zeigt, wie das Volk, die eigentliche Bevölkerung, sich *allmählich* Schicht auf Schicht herausbildete.

Wie die Beispiele zeigen, hängt die Bedeutung von *come* in dieser Konstruktion von dem Tempus ab, in dem *come* verwendet wird. *Have come* bedeutet *jetzt seit kurzem, jetzt, seit kurzem; came (was / were coming)* dagegen bedeutet *allmählich, nach und nach.*

Soweit nicht die Verlaufsform *(was/were coming)* gebraucht oder ein Adverb wie *gradually* hinzugefügt wird, kann *come to do* in Präsens und Imperfekt freilich noch eine andere Bedeutung haben:

173	How did you *come* to hear the news?	Wie *kam es soweit* (oder *dazu*), daß du die Nachricht erfuhrst?
174	He *came* to see that he was mistaken.	Er *kam soweit,* daß er begriff = Er sah ein, daß er sich geirrt hatte.

In diesen Fällen drückt *come to do* also aus, daß ein Punkt erreicht wird. Besonders typische Beispiele sind noch:

175	When we *come to die* ...	Wenn es *ans Sterben geht* ...
176	Now that I *come to think* of it...	Jetzt, wo ich daran denke (Jetzt, wenn ich darüber nachdenke) ...

Einen Sonderfall in dieser Gruppe stellen bis zu einem gewissen Grade Beispiele mit der Wendung *go to do* dar, weil hier die spezielle Bedeutung der Wendung weniger deutlich in Erscheinung tritt als bei allen anderen Gruppen. Man erfaßt sie wohl einigermaßen richtig mit der Bedeutung *dazu dienen oder beitragen, daß; go* fügt zur Grundbedeutung des folgenden Verbs also kaum mehr als einen gewissen Nachdruck, eine gewisse Hervorhebung:

177	Let's get away for a moment from all the forms and sentence patterns and sounds that *go* to make up the complicated system of language.	Verlassen wir für einen Augenblick alle Formen und Satzmodelle und Laute, die zur Gestaltung des komplizierten Systems einer Sprache *dienen.*
178	The capital *goes* to swell the profits of the original possessors of the soil.	Das Kapital *dient dazu* (oder *trägt dazu bei*), die Gewinne der ursprünglichen Bodenbesitzer anschwellen zu lassen.

Häufiger jedoch als eine Übersetzung mit den genannten Verben ist eine mit Adverbien:

179	The bones which *go* to form the head and trunk.	Die Knochen, die *nun mal* den Kopf und den Rumpf bilden.
180	All the criticism *goes* to show that the sentence, though severe, was just.	Die ganze Kritik zeigt *doch nur,* daß das Urteil zwar hart, aber gerecht war.
181	His information *went* to show that the situation might easily become worse.	Seine Information zeigte *deutlich,* daß die Situation leicht schlimmer werden konnte.
182	All this *goes* to show the utter futility of war.	All das zeigt *nur* (oder *doch nur, nur wieder, deutlich*) die völlige Sinnlosigkeit des Krieges.

Ein weiteres gutes Beispiel ist hier noch der Satz, der zu Beginn des ersten Teils dieses Buches auf Seite 10 gegeben wurde.
Eindeutiger als die Wendung *go to do* sind die mit *go* gebildeten Wendungen *go far to do, go some way to do, go a long way to do:*

183	What happens in Germany will *go far* to determine the relations of Russia with Western Europe.	Was in Deutschland geschieht, wird *weitgehend* die Beziehungen Rußlands zu Westeuropa bestimmen.
184	These considerations *go some way* to explain the coolness of President Eisenhower, a staunch friend of Britain, but not the whole way.	Diese Erwägungen erklären *bis zu einem gewissen Grade* die kühle Zurückhaltung Präsident Eisenhowers, der ein nachdrücklicher Freund Englands ist, aber nicht völlig.
185	This would *go a long way* to meet the very serious difficulties.	Das würde die sehr ernsten Schwierigkeiten *weitgehend* (oder *zu einem großen Teil*) überwinden.

Weitere Einzelheiten zu den Wendungen *come to do* und *go to do* finden sich in W. Friederich, Die Infiniten Formen des Englischen, Seite 45–48.

VI. Substantivierte Adjektive im Deutschen

Im Deutschen kann ein Adjektiv einfach dadurch zu einem Substantiv gemacht werden, daß man den Artikel davor setzt: *ein Reicher, der Blinde, das Schöne.* Im Englischen bewirkt das Vorsetzen des Artikels in der Regel nur die Bezeichnung einer Gesamtheit oder eines Abstraktums: *the rich die Reichen, the unborn die Ungeborenen, the inevitable das Unvermeidliche, the beautiful das Schöne.* Zur Bezeichnung einer Einzahl müssen wir ein sinngemäß passendes Substantiv hinzufügen oder einen umschreibenden Satz (meist mit *what*) bilden. Es wird nun sofort einleuchten, daß dies ein für beide Übersetzungsrichtungen gültiger Hinweis ist. Für das Übersetzen ins Englische sind die genannten Regeln bindend, für das Übersetzen ins Deutsche natürlich nicht: *the blind man, the blind woman* kann im Deutschen erscheinen als *der blinde Mann, die blinde Frau;* die Lösungen *der Blinde, die Blinde* sind aber besser. In Sätzen gar wie *That is an odd thing. We see so many ugly things in our towns* ergibt die wörtliche Übersetzung wirklich *an ugly thing,* weshalb es heißen sollte:

186	That is *an odd thing.*	Das ist *etwas Seltsames.*
187	We see so many *ugly things* in our towns.	Wir sehen so viel *Häßliches* in unseren Städten.

Weitere Beispiele:

188	Die Polizei kennt den Namen *der Toten* noch nicht.	The police do not yet know the name of the *dead woman* (oder *girl*).
189	He spoke about *indifferent topics.*	Er sprach über *Belangloses.*
190	The *astonishing part* of it is that you are right.	*Das Erstaunlich(st)e* dabei ist, daß du recht hast.
191	There was *a peculiar,* but at the same time *a grand* and *dignified appearance* about him.	Es war *etwas Seltsames* (oder *Fremdartiges*), aber zugleich *Imposantes* und *Ehrwürdiges* an ihm.
192	I must ... extend my cordial thanks to *the many persons* who have written to me concerning it.	Ich möchte ... *den Vielen* herzlich danken, die mir dazu geschrieben haben.
193	Ich war sehr beglückt durch die Freundschaft, die uns beinahe *Gleichaltrige* verband.	I much enjoyed the friendship which united us two *men of similar age.*
194	Ehe Hitler proklamierte, daß nicht Geld, sondern Arbeit eine Währung decke, praktizierte in Italien Mussolini *Ähnliches.*	Before Hitler had proclaimed that work rather than gold provided cover for currency, Mussolini was practising *similar methods* in Italy.
195	*Ein Ertrinkender* klammert sich an einen Strohhalm.	*A drowning man* will catch at a straw.
196	Das war *das erste,* was er sagte.	That was *the first thing* he said.

Ein weiteres gutes Beispiel finden wir wieder in dem eingangs gegebenen Satz auf Seite 10.

Und nun einige Beispiele für die Verwendung eines Nebensatzes (mit *what*) als Äquivalent für ein deutsches substantiviertes Adjektiv.

197	I told him *what was most important.*	Ich teilte ihm *das Wichtigste* mit.
198	*What is urgent* must be finished before anything else is taken up.	*Das Dringendste* muß erledigt sein, bevor irgend etwas anderes in Angriff genommen wird.
199	*Das Nützliche* ist oft schön.	*What is useful* is often beautiful.
200	Er richtete seine Aufmerksamkeit auf *das Gute, Gerechte und Vernünftige.*	He turned his attention to *what was good, just and prudent.*
201	*Das Schöne* in dieser Welt lohnt sich zu betrachten.	*Whatever is beautiful* in this world is worth looking at.

202	*Das* für uns *Befremdliche* und zugleich *Amüsante* ist die Ironie, mit der die Märchenfiguren gezeichnet sind.	*What is strange* and at the same time *amusing* to us is the irony with which these fairy-tale figures are drawn.
203	Von der Parteilinie *Abirrende* sollten im China jener Jahre wiedergewonnen, nicht liquidiert werden.	*Whoever strayed* from the party line was to be won back, not liquidated in the China of those days.

Weitere Einzelheiten zur Substantivierung der Adjektive finden sich in W. Friederich, Englische Morphologie, Seite 125–130.

VII. Abstrakt — konkret

Wenn auch auf dem hier behandelten Gebiet der Übersetzungsprinzipien die Grenze zwischen Hinweisen, die für Wörter, Wendungen und Sätze gelten, nicht streng zu ziehen ist, so treten wir doch mit dieser Gruppe VII deutlich in den eigentlichen Bereich der Syntax ein.
Für den geschickten Aufbau englischer Sätze ist es gut, sich folgenden Grundsatz einzuprägen: Person – Ding – Abstraktum haben im Englischen *die* Rangordnung, die hier gegeben ist. Das heißt also, daß beim Zusammentreffen von Person, Abstraktum, Ding in der Regel die Person über Ding und Abstraktum, und das Ding über dem Abstraktum rangiert. Praktisch bedeutet das, daß die Person bzw. das Ding Subjekt des Satzes sein sollte. Auf diese Grundsätze hat schon vor über 40 Jahren Philipp Aronstein in seiner großartigen Englischen Stilistik hingewiesen, freilich nicht vom Standpunkt der Übersetzungstechnik, sondern von dem der Stilistik. Er gibt aber die meisten seiner Beispiele zweisprachig. Dort finden wir das überzeugende Beispiel, das in seiner Eindeutigkeit stellvertretend für alle anderen stehen könnte:

204	*Ein Wald* von prächtigen Buchen nahm ihn auf.	*He* entered a forest of magnificent beeches.

Man kann es drehen und wenden, wie man will, *a forest of magnificent beeches* ist als Agens, als Subjekt einfach nicht denkbar: es gibt kein Verb, das dazu als Prädikat auftreten könnte. Was immer man für Schlüsse aus diesem Beispiel (und späteren) auf den englischen und deutschen Sprach-, ja Volkscharakter ziehen mag – das Faktum bleibt bestehen, daß wir hier einen der ganz entscheidend wichtigen Unterschiede der beiden Sprachen vor uns haben. Beispiele, die zu dem genannten Prinzip der Rangfolge von Person – Ding – Abstraktum nicht passen, lassen sich finden,

ohne Zweifel. Der Deutsche ist aber stets gut beraten, wenn er das genannte Prinzip als Ausgangspunkt für den Aufbau eines englischen Satzes nimmt.
Als erstes mögen weitere Beispiele folgen, in denen Person und Ding zusammentreffen:

205	*Das Haus, die Gegend* waren ihr zuwider.	*She* detested the house, the surroundings.
206	Einem Gelehrten steht *die ganze Welt* offen.	*A scholar* has the whole world open to him.
207	*Es* geht mir schon viel besser.	*I* have improved a lot.

Zu Satz 207 sei angemerkt, daß diese Art von Sätzen mit unpersönlichem *es* im einzelnen in Abschnitt XVII (Seite 100) behandelt wird.

208	Geben Sie unserem Büro sofort Bescheid, damit Ihnen mit geeigneten Vorschlägen gedient werden kann.	Please inform our Office at once so that *we* may offer you adequate proposals.
209	*Das Abendessen* hat mir geschmeckt.	*I* enjoyed my supper.
210	*Das Wetter* war ziemlich schlecht.	*I* had a great deal of bad weather.
211	Jetzt geht mir *ein Licht* auf.	Now *I* begin to see.
212	Bald war ihm *die Arbeit* verleidet.	*He* soon became tired of this occupation.
213	Mr. Cresset erschien in einem sehr knapp sitzenden marineblauen Anzug und trug einen steifen Kragen; *der Puder*, den man ihm für die Sendung aufgelegt hatte, setzte ihn in die größte Verlegenheit.	Mr. Cresset came in wearing a very tight navy blue suit and a stiff collar; *he* was greatly embarrassed by the powder that had been put on his face.

In den folgenden Beispielen treffen Abstraktum und Person zusammen:

214	*He* has never swerved for a moment from the love he bears you.	Keinen Augenblick ist *die Liebe* zu Ihnen aus seinem Herzen gewichen.
215	*Die Gespräche* mit den beiden Kompanieführern gingen ihm nicht aus dem Sinn.	*He* found himself unable to stop thinking about his conversations with the two company commanders.
216	*Ihre Schlußfolgerung* leuchtet mir nicht ein.	*I* don't see your conclusion.
217	*Ihre Anwesenheit* quälte ihn.	*He* was tormented by her presence.
218	*Seine Behauptung* traf nicht wörtlich zu.	*He* was not literally correct in his assertion.

219 *Ihr Interesse* gilt H. Cresset. *Es* ist Ihr gutes Recht, mehr von ihm zu erfahren.

You're interested in Harold Cresset. *You* have a perfect right to know more about him.

220 Noch heute fasziniert uns *die universale Kultur* des Mittelalters durch die wunderbare Einheitlichkeit und Korrespondenz aller ihrer Lebensäußerungen.

Even today *we* are still fascinated by the universal culture of the Middle Ages, its wonderful uniformity and the concord of all its expressions of life.

221 Ottheinrichs *Sammeleifer* vervollständigte die Bibliothek und legte den Grundstock zu der weltberühmten Bibliotheca Palatina.

Otto Henry, with his zest for collection, greatly extended the library, laying the foundation of the world-famous Bibliotheca Palatina.

222 *We* could think of nothing to say.

Uns fiel *nichts* ein.

223 *The British* are an unpredictable people in their domestic and architectural tastes.

Bei den Engländern kann man *die Geschmacksrichtungen* in der Innen- und Außenarchitektur nicht im voraus bestimmen.

Im folgenden Beispiel ist streng genommen das Abstraktum *will* Subjekt des englischen Satzes. Beim Vergleich mit dem Deutschen ergibt sich aber doch, daß der Person *(Charles Louis)* der Vorrang eingeräumt wird gegenüber *religious or national intolerance.*

224 *Keine religiösen oder nationalen Unduldsamkeiten* sollten nach dem Willen Karl Ludwigs ihre Lehrfreiheit einschränken.

It was *Charles Louis' will* that no religious or national intolerance should restrict its freedom of instruction.

Die Unmöglichkeit, ein Abstraktum als Agens – als Subjekt – auftreten zu lassen, ist im Englischen so groß, daß ein persönliches Subjekt selbst dann erscheinen kann, wenn der Satz gar keine Person enthält, sie also sinngemäß ‚erfunden' werden muß.

225 Ganz anders zeigt sich *das Bild* an der andern Seite der Chaussee.

On the other side of the highway *we* see quite a different picture.

226 Dem Arts Council ist *die Erhaltung und Sicherung* des oben erwähnten einzigen festen Ensembles zu verdanken, das Old Vic.

We owe to the Arts Council the preservation and safeguarding of the above-mentioned only permanent ensemble, the 'Old Vic'.

227 Die Zusammenarbeit zwischen Forscher und Konstrukteur wurde enger,

Co-operation between the research worker and the designer became clos-

	die wechselseitige Beziehung ließ sich nicht mehr übersehen.	er and *they* could no longer afford to ignore their mutual dependence.
228	*Der Anspruch* auf den Platz erlischt, wenn er nicht bei der Abfahrt des Zuges vom vorgenannten Bahnhof eingenommen wird.	*The passenger* cannot claim his seat unless he takes possession of it by the time the train leaves the station mentioned above.
229	Für einen Besuch in West-Berlin ist *keine Aufenthaltsgenehmigung* erforderlich.	*Visitors* to West Berlin do not require a residence permit.

Daß auch im Verhältnis von Abstraktum und Ding das Abstraktum unterliegt, also nicht Subjekt des Satzes wird, zeigen die folgenden drei Beispiele:

230	*Die Erinnerung* trieb ihm das Blut in die Stirn.	*The blood* rushed to his face at the recollection.
231	*Der Charakter* der Lehranstalt war scholastisch und klösterlich.	*This educational establishment* was scholastic and monastic in character.
232	Gleichzeitig entwickelte sich in allen übrigen Fächern *ein neues frisches Leben.*	At the same time, *the other disciplines* were all giving proof of fresh vitality.

Im Deutschen ist es völlig natürlich, Sätze zu formulieren wie *Frost und Schlamm hatten die Straßen unwegsam gemacht* oder *Die Nebel der Sommerabende verwischten die Ränder von Hof und Bäumen.* In Wirklichkeit üben ja aber Frost oder Nebel diese „Tätigkeiten" nicht aus, ebensowenig wie in den folgenden Sätzen die Kanonenkugeln die Tätigkeit des Vertreibens ausüben oder die Stimme tatsächlich etwas „verliert":

233	*Kanonenkugeln* vertrieben das Schiff.	*The ship* was driven off by cannon shot.
234	Meyers *Stimme* verlor ihren vergnüglichen Ton, als er sagte: –.	The *jollity* went out of Meyer's voice when he said: –.
235	*Frost und Schlamm* hatten die Straßen unwegsam gemacht.	*The roads* were heavy with frost and mud.
236	*Die Nebel* der Sommerabende verwischten sanft die harten Ränder von Hof und Bäumen.	*The farm and the trees* were softened by summer evening mists.

Nach englischer Sprachlogik wären Formulierungen, die dem Deutschen wörtlich entsprächen, einfach unlogisch, un-‚denk'-bar. Und darum erscheinen in den Fassungen der verschiedenen englischen Übersetzer andere Subjekte – Subjekte, von denen das verbal Ausgesagte wirklich behauptet werden kann.

237 Die Universität war vernichtet; *die Jahre 1630–1652* wissen nichts von ihr.

The University was totally destroyed; in the years between 1630 and 1652 *there is no trace* of its existence.

238 *Die Versuche* der jüngsten Zeit, gegen die Gefahr einer Spezialisierung ein „Studium generale" einzurichten, haben eine wechselvolle Geschichte.

The history of recent attempts to institute a Studium generale (course of general studies) is an eventful one.

239 Der Genuß der schönen Stunden, *die* mich durch die Bergstraße führten, ward durch die sehr ausgefahrenen Wege einigermaßen unterbrochen.

My enjoyment of the happy hours *spent* driving along the Bergstrasse was somewhat marred by the badly worn road surfaces.

Auch das letzte Beispiel gehört hierher, denn *spent driving* bedeutet ja nichts anderes als *which* I *spent driving.* Wie exakt diese Sprachlogik des Englischen sein kann, zeigt sich deutlich in den folgenden beiden Sätzen, die im Deutschen Personen als Subjekt haben und doch im Englischen nicht mit diesen Personen beginnen:

240 *Drei amerikanische Autoren* schlossen allerdings im vergangenen Jahr die Lücke wenigstens teilweise, welche die Werber für und die Warner vor China offengelassen haben.

But *the gap,* left open by the promoters of and the warners against China, has been partly closed by three American authors.

241 *Die Verfasser* haben die mit besonderer Sorgfalt wissenschaftlich einwandfrei übersetzten Dokumente einzeln und in Gruppen mit Kommentaren versehen, den Band mit einer Darlegung der chinesischen Situation eingeleitet und mit behutsam abwägenden Bemerkungen abgeschlossen.

The documents, faultlessly translated with particular scientific care, were commented upon by the authors singly and in groups; the volume was introduced by a description of the Chinese situation and ends with some carefully weighed remarks.

Die drei amerikanischen Autoren haben ja keine Lücke schließen wollen (sondern Bücher schreiben), und auch in Satz 241 geht es nicht um die Tätigkeit der Verfasser, sondern um die Sorgfalt, mit der diese Dokumente bearbeitet worden sind.
Kann *die öffentliche Meinung* etwas *sehen* oder *befürchten?* Im Deutschen schon, im Englischen kaum:

242 *Die öffentliche Meinung* hat deshalb auch das gemeinsame Kommuniqué, das nach den Besprechungen zwischen Außenminister Eden und Außen-

Consequently, *the joint communiqué* that was issued after the conversations between Foreign Secretary Eden and Secretary of State Dulles

minister Dulles vom 12. und 13. April in London ausgegeben wurde, mit Sorge gesehen ...

in London on April 12th and 13th, was regarded with some concern ...

243 *Die öffentliche Meinung* befürchtete, daß die amerikanische Politik neue Entschlüsse gefaßt habe, daß sie keinen Kompromiß auf der Genfer Konferenz suche ...

It was feared *that* American policymakers had made new decisions, that they would not seek a compromise at the Geneva Conference and ...

Eine besonders interessante Gruppe von Beispielen ist mit den folgenden acht Sätzen gegeben:

244 Dies brachte ihn weiter auf den Weg unmittelbarer Zweckmäßigkeit auf Kosten des *Pflicht- und Ehrgefühls.*

This led him further along the path of immediate expediency at the expense of *duty and honour.*

245 Der Geist der Universität wurde nun ganz durch *die Verbindung* von Renaissance und Reformation bestimmt.

Now the spirit of the University was wholly conditioned by *the combined forces* of the Renaissance and Reformation.

246 Der Minister stellte sich selbst an, um die Qualen der *Wartezeit* besser kennenzulernen.

The Minister queued up himself, to get to know the torments of *waiting* better.

247 In einem Schreiben an den Präsidenten protestierten amerikanische Wissenschaftler gegen die Beschäftigung deutscher Atomfachleute in den Vereinigten Staaten. Die *Geheimhaltung* der Herstellung von Atombomben werde hierdurch gefährdet.

In a letter to the President American scientists protested against the employment in the United States of German atomic experts. The *secret* of the production of the atomic bomb was endangered.

248 Diese Bedingungen und Gesetze sind die des menschlichen Wesens und seiner *Existenzmöglichkeiten.*

These conditions and laws are those of the human being, those governing his *existence.*

249 Unter dem Beistand von Melanchthon reformierte er die Universität. Diese verdankt seiner grundlegenden *Neuordnung* ihre erste Blütezeit.

With Melanchthon's assistance he reformed the University, which owes its first period of flowering to his fundamental *reorganization work.*

250 Der *flüchtige Spott* um seine Mundwinkel verschwand.

The *little lines of irony* at the corners of his mouth vanished.

251 Ein Bündel uniformiertes *Pflichtbewußtsein.*

A bundle of *duties* in uniform.

Hier haben wir jetzt nicht mehr eine Rangordnung von Person, Ding und Abstraktum, vielmehr bleibt das Abstrakte: *duty and honour* ist ebenso abstrakt wie *Pflicht- und Ehrgefühl*. Aber im Englischen wird doch so formuliert, daß das Auszusagende wenigstens etwas *weniger* abstrakt (oder etwas *mehr* konkret) ausgedrückt wird:

Pflicht- und Ehrgefühl	duty and honour
Verbindung	combined forces
Wartezeit	waiting
Geheimhaltung	secret
Existenzmöglichkeiten	existence
Neuordnung	reorganization work

Durch Weglassung der Abstrakta *Gefühl, Zeit, -haltung, -möglichkeiten* oder durch Hinzufügung der Konkreta *forces, work* wird diese größere Anschaulichkeit gewonnen. Das zeigen auch die Sätze 250 und 251 sehr plastisch: kann *Pflichtbewußtsein* uniformiert sein? Im Englischen finden wir (entsprechend unserem Abschnitt I, Seite 41) für *Pflichtbewußtsein duties*, dementsprechend *a bundle of duties* und dazu dann die attributive Gruppe *in uniform*. Um verschwinden zu können, wird der *flüchtige Spott* zu *little lines (of irony)*, for lines may certainly vanish. Ein weiteres Beispiel enthält Satz 359. Bevor wir dieses Kapitel verlassen, sei noch auf einen Sonderfall hingewiesen, der häufig genug vorkommt, um hier erwähnt zu werden.

252	For this new issue *the publishers* have found it possible to reset the entire book in a larger type.	Für diese neue Ausgabe hat *der Verlag* es möglich gemacht, das ganze Buch in einer größeren Type neu zu setzen.
253	Die Konferenz hat nicht stattgefunden, aber der Streit *der Ämter* spiegelte sich in der Presse wider.	The conference never took place, but the controversy of *the officials* was reflected in the press.
254	Der Forscher prüft, auf welche Weise technisches Gerät ihm Neuland erschließen könnte, *die Technik* kann nichts erreichen, was den vom Forscher erkannten und formulierten Naturgesetzen widerspricht.	While the research worker studies the new territories he can conquer by technical means, *the technologist* can do nothing in opposition to the natural laws formulated by the scientist.
255	Differenzen bestehen noch aus der Kriegszeit her, die in der *Literatur* hart ausgetragen werden.	Differences still exist from the war period, and *writers* are still fighting bitterly over them.
256	Was entstand, war ein totalitärer Staat, dessen *Führung* in ihren Entscheidungen völlig frei ist.	The result was a totalitarian state, whose *leaders* are absolutely free in making their decisions.

257	Nearly a million and a half Frenchmen had perished defending the soil of France on which they stood against *the invader.*	Fast anderthalb Millionen Franzosen waren bei der Verteidigung französischen Bodens, auf dem sie *der Invasion* standhielten, umgekommen.

Ein weiteres Beispiel enthielt bereits Satz 243. Wir finden also, daß im Englischen eine Person (zumeist im Plural) an die Stelle eines Abstraktums oder Kollektivums tritt, womit sich diese Beispiele denen der Gruppe I (Seite 41) nähern. Man kann zwar sagen *She has company,* aber das Typische wäre doch:

258	Sie hat *Besuch.*	She has *a visitor* (oder *visitors*).
259	Der Kranke darf noch keinen *Besuch* haben.	The patient is not yet allowed to have *visitors.*
260	*Unser Besuch* muß morgen wieder abfahren.	*Our visitor* (oder *guest*) has to leave again tomorrow (oder *Our visitors, guests,* have to leave ...)

VIII. Längere attributive Wendungen des Deutschen

Im Gegensatz zum Deutschen kann das Englische ein Substantiv nicht mit längeren attributiven Wendungen belasten, die dem Substantiv vorausgehen. Eine Fügung wie *Die durch eine neue Serie von schlimmen Grenzzwischenfällen und die wachsende Besorgnis über Repressalien beunruhigte nordirische Regierung* ist im Englischen nicht möglich, im Deutschen dagegen – besonders in bestimmten Stilbereichen – alles andere als selten. Die Lösungsmöglichkeiten für das Englische sind nachgestellte Partizipien oder nachgestellte Relativsätze. Das ist für die deutsch-englische Übersetzung nahezu selbstverständlich. Was es besonders zu beherzigen gilt, ist, daß man nicht jedes nachgestellte Partizip, jeden (natürlich nachgestellten) Relativsatz im Deutschen als Relativsatz wiedergibt, sondern an die im Deutschen gegebene Möglichkeit der attributiven *Voranstellung* denkt:

261	The police *having arrived* meanwhile investigated the matter.	Die Polizei, *die inzwischen eingetroffen war,* –. Besser: Die *inzwischen eingetroffene* Polizei untersuchte die Angelegenheit.

Zuerst eine Reihe von deutsch-englischen Beispielen:

262	Die *durch eine neue Serie von schlimmen Grenzzwischenfällen und die wachsende Besorgnis über Repressalien beunruhigte* nordirische Regie-	The Northern Ireland Government, *disturbed by another series of border outrages and the growing danger of reprisals,* has again reported the

rung hat dem Innenminister in London wiederum Bericht erstattet. — situation to the Home Secretary in London.

263 Dies war tatsächlich die *von allen westlichen Alliierten seit Kriegsende verfolgte* Politik.

This, in fact, has been the policy *adopted by all the Western Allies since the war.*

264 Die *über den ihr folgenden jungen Mann erboste* Patricia rief nach einem Polizisten.

Patricia, *angered by the young man following her,* called a policeman.

265 Freilich ist Kanada ein *durch Sprache, Geographie und Interessen noch mehr zerrissenes* Land als die USA.

True, Canada is a country *even more severely divided by language, geography and interests* than the United States is.

266 Er zerriß die *von uns vorgezeigte* Fahrkarte.

He tore the ticket *shown by us.*

267 Sie geben dem späten Leser das Gefühl einer *abhanden gekommenen* Harmonie.

They give the reader of today a feeling of harmony *long since vanished.*

268 Dieses Grundverständnis der *im Gesetz begründeten und durch das Gesetz begrenzten* Freiheit als der Vollmacht, ungehindert von anderen über sich selbst verfügen zu können, hält sich im Griechentum, –.

This fundamental understanding of the freedom *founded on, and limited by, the law* as the power to dictate one's own course, unhindered by others, persisted throughout Greek history, –.

Dem deutschen Präsenspartizip mit *zu* entspricht im Englischen ein nachgestellter Infinitiv, und zwar im Passiv, außer wenn dem Substantiv ein Adjektiv vorausgeht.

269 Ihre Führer konnten sich leider über die *einzuschlagende* Politik nicht einigen.

Their leaders unfortunately could not agree on the policy *to be adopted.*

270 Der als nächstes *zu berücksichtigende* Punkt waren die Lebensmittel.

The next thing *to be considered* was food.

271 Dies ist ein schwer *zu heizendes* Zimmer.

This is a difficult room *to heat.*

272 Er ist ein kaum *zufriedenzustellender* Mann.

He is a hard man *to please.*

273 It's a never-ending controversy, *not to be settled by the election.*

Es ist eine *durch die Wahl nicht zu lösende* Streitfrage ohne Ende.

274 The traveller *to be pitied most* is one of whom his foreign hosts say: "He doesn't like our food, nor even our music."

Der *am meisten zu bedauernde* Reisende ist der, dessen ausländische Gastgeber sagen: „Er mag unser Essen nicht, nicht einmal unsere Musik."

275 Before them (:Allies, 1919) lay the map of Europe *to be redrawn almost as they might resolve.*

Vor ihnen lag die *fast nach Gutdünken neu zu zeichnende* (oder *zu gestaltende*) Karte Europas.

276 This is an awkward door *to open.*

Es ist eine schwer (kaum) *zu öffnende* Tür.

277 There never was a war *more easy to stop* than that which has just wrecked what was left of the world from the previous struggle.

Nie hat es einen *leichter zu verhindernden* Krieg gegeben als den, der soeben die Überreste des vorigen Kampfes zertrümmert hat.

Die folgenden sieben Sätze enthalten im Englischen nachgestellte Partizipialgruppen, denen deutsche Übersetzungen mit vorangestellten Partizipien gegenüberstehen (also die Umkehrung zu den Sätzen 262–268).

278 Now I saw the leg, *broken but not hopelessly smashed.*

Jetzt sah ich das *gebrochene, aber nicht hoffnungslos zerschmetterte* Bein.

279 The industrial crisis *overhanging the country* is a very grave matter.

Die *über dem Land schwebende* industrielle Krise ist eine sehr ernste Angelegenheit.

280 Asian delegates *attending the conference of the United Federal Party at Fort Victoria, Southern Rhodesia,* claimed today that they were asked to leave the bar and take their drinks to the kitchen.

An der Konferenz der Vereinigten Föderationspartei in Fort Victoria in Südrhodesien teilnehmende asiatische Delegierte behaupteten heute, sie seien aufgefordert worden, die Bar in einem Hotel des Ortes zu verlassen und ihre Getränke in die Küche mitzunehmen.

281 A hesitant cold front, *edging down from the northwest,* may cool Britain down slightly today, and bring occasional rain.

Eine *von Nordwesten sich zögernd heranschiebende* Kaltfront wird England heute möglicherweise leicht abkühlen und gelegentliche Regenfälle bringen.

282 You can hardly open a magazine these days without finding an article

Man kann zur Zeit kaum eine Zeitschrift aufmachen, ohne auf einen *von*

	bristling with flow charts, diagrams and time-and-motion studies, showing how to cut housework in half.	*Diagrammen aller Art und Refastudien nur so strotzenden* Artikel zu stoßen, der darlegt, wie man Hausarbeit um die Hälfte verkürzen kann.
283	News *received this evening* indicates a change for the better.	*Heute abend eingetroffene* Nachrichten deuten einen Umschwung zum Besseren an.
284	The Labour Party has long had two wings: a Left *composed of the intellectual economic socialists,* and a Right *made up of solid horny-handed trade unionists.*	Die Labour-Partei weist seit langem zwei Flügel auf: eine *aus intellektuellen Wirtschaftssozialisten bestehende* Linke und eine *aus handfesten Gewerkschaftlern mit schwieligen Händen bestehende* Rechte.

Als letztes werden noch sieben Sätze vorgeführt, in denen die englische Lösung in einem Relativsatz besteht.

285	Als die amerikanischen Truppen endlich Genua besetzten, stellte sich der *meist in Rapallo lebende* Pound.	When eventually American troops occupied Genoa, Pound, *who had lived mostly in Rapallo,* gave himself up.
286	Prag und Wien hatten bereits eine große Anzahl *aus Paris abgewanderter* Lehrer und Scholaren mit offenen Armen aufgenommen.	Prague and Vienna had already received with open arms a large number of teachers and scholars *who had left Paris.*
287	Die *auf Ruprecht I. folgenden* Kurfürsten Ruprecht II. und Ruprecht III., deutscher König, sorgten für die Entwicklung der Universität, –.	The Electors *who succeeded Rupert I,* namely Rupert II and Rupert III, King of Germany, took care of the University's development, –.
288	Die neuen Kurfürsten aus dem *katholisch gewordenen* Haus Neuburg übergaben die Universität den Jesuiten, –.	The new Electors of the House of Neuburg, *which had by now been converted to Catholicism,* handed the University over to the Jesuits –.
289	Sein weiches, unfertiges Gesicht trug einen hilflosen Ausdruck, der durch den *halbgeöffneten* Mund verstärkt wurde.	His soft, unformed features bore a helpless expression which was further accentuated by the way *he kept his mouth slightly open.*
290	Mit dem Beginn der Neuzeit macht sich der *seit Jahrhunderten hinter*	With the beginning of the modern era, man's impulse towards free self-

den Dämmen der kirchlichen Einheitskultur des Mittelalters aufgestaute Drang des Menschen nach freier Selbstverwirklichung und freier Selbstentfaltung mit einer geradezu explosiven Dynamik frei, befähigt ihn zu vorher nie erreichten Leistungen und verändert in einer relativ kurzen Zeitspanne das Angesicht seiner Welt.

realisation and self-development *which for centuries had been held in check by the sturdy dams of the uniform culture of the mediaeval church* was released with explosive, dynamic force, enabled him to perform hitherto unknown achievements and in a relatively short time changed the face of its world.

291 Much is constantly coming to light from the disclosure of captured documents or other revelations which may present a new aspect to the conclusions *which I have drawn.*

Vieles kommt immer noch ans Tageslicht durch die Veröffentlichung erbeuteter Dokumente oder andere Enthüllungen, die auf die *von mir gezogenen* Schlußfolgerungen vielleicht ein neues Licht werfen.

Das letzte Beispiel stammt aus Churchills The Gathering Storm. Natürlich könnte man hier auch übersetzen: die auf die Schlußfolgerungen, *die ich gezogen habe,* vielleicht ein neues Licht werfen. Doch dürfte die andere Fassung bei aller Vorliebe des Deutschen für Verschachtelung und Einschübe klarer und deswegen stilistisch überzeugender sein.

IX. Adjektive als Sinnträger des Wichtigen

Im Kapitel VII hatten wir schon gesehen, daß englische Sprachlogik anders ist als deutsche. Gewisse Begriffe – und damit die entsprechenden Wörter – können nicht handelnd gedacht werden und deswegen nicht als Subjekt eines Satzes auftreten. Eine ähnliche dem Englischen fremde „Unlogik“ des Deutschen finden wir in diesem Kapitel. Im Deutschen ist es nicht nur möglich, sondern sogar stilistisch außerordentlich reizvoll, das Eigentliche, das Wichtige, das man zu sagen hat, nicht den syntaktisch wichtigen Satzteilen anzuvertrauen, sondern dem unwichtigsten. Und das ist das Attribut.

In dem Satz *Die durchwachte Nacht machte sich bemerkbar* ist es nicht *die Nacht,* die negative Folgen hervorruft, sondern die Tatsache, daß der betreffende Mensch in dieser Nacht *nicht geschlafen,* daß er sie *durchwacht* hat. Das tatsächlich inhaltlich wichtigste Wort des Satzes ist *durchwacht.* In der englischen und in der amerikanischen Übersetzung dieses dem schon erwähnten Kriegsroman von Willi Heinrich, Das geduldige Fleisch, entnommenen Satzes heißt es deshalb:

292	Die *durchwachte* Nacht machte sich bemerkbar.	Last night's *lack of sleep* was overtaking him.

Das Englische muß also den im Deutschen adjektivisch wiedergegebenen Begriff substantivisch fassen. Formelhaft ließe sich das so darstellen:

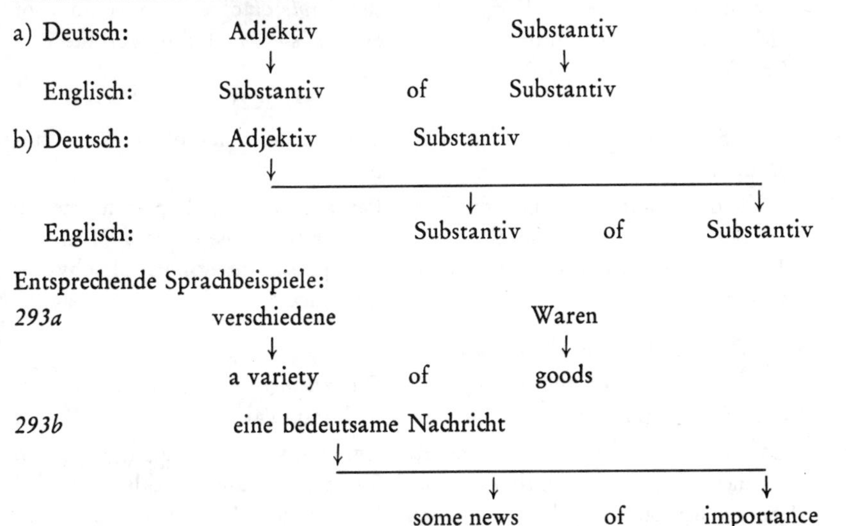

Satz 292 entspricht dem Modell a), nur daß statt der *of*-Fügung der *s*-Genitiv steht: *last night's* lack of sleep. Wie die weiteren Beispiele zeigen werden, ist auch dieses Übersetzungsprinzip in beiden Richtungen anwendbar. Manchmal wird die adjektivische Übersetzung im Deutschen durch das Fehlen eines entsprechenden Substantivs im Deutschen nahegelegt (z. B. in Satz 304 lateness, 305 devil); man sollte an diese Möglichkeit aber auch in anderen Fällen denken.

294	dein *unfreundliches* Verhalten	the *unkindness* of your behaviour
295	seine *lebhaften* Bewegungen	the *vivacity* of his movements
296	Eine ungefähr *zwanzigjährige* Erfahrung hat gezeigt ...	Some *twenty years* of experience have shown ...
297	Sie verstehen ihn, sie halten mit ihm vertraute Zwiesprache in *einsamer* Nacht.	They sympathise with him, in intimate colloquy in the *stillness* of night.
298	Er wundert sich, daß jener nicht fröhlicher ist, nicht glücklicher über die schöne Wendung der Dinge, über den *erneuten, vergrößerten* Ruhm.	He is surprised that he does not rejoice more at the happy turn of affairs, about the *renewal* and *increase* of his fame.

299	In dem *kalten* Wasser war es einfach furchtbar.	The *coldness* of the water was simply terrible.
300	– die Ironie, mit der die Märchenfiguren gezeichnet sind, angefangen von dem *vertrottelten* König, der nicht einmal einen Schilling für den Gasofen besitzt ...	– the irony with which these fairy-tale figures are drawn, starting with the *simpleton* of a king who does not even possess a shilling for the gas-stove ... (Vgl. Satz 202)
301	Das Stück hat keine *einheitliche* Handlung.	There is no *unity* of action in this play.
302	Vielleicht erlauben Sie mir die Bemerkung, daß die Moral einer Truppe eine *bestimmte* Materie voraussetzt.	Perhaps you will permit me to remark that the morale of troops presupposes *some sort* of physical substance.

Und nun sechs englisch-deutsche Beispiele:

303	The *informality* of the atmosphere is the most important single influence.	Die *zwanglose* Atmosphäre ist der wichtigste Faktor.
304	Considering the *lateness* of the hour, the incentives that presently exist for the acquisition of nuclear weapons, and the prospect that they may be acquired with increasing ease, one is forced to conclude that a really major effort involving many kinds of actions will be required if there is to be any reasonable prospect of stemming the tide.	Angesichts der (gefährlich) *späten* Stunde, der augenblicklich für den Erwerb von Atomwaffen bestehenden Anreize und der Aussicht, daß sie immer leichter zu beschaffen sein werden, muß man zu dem Schluß kommen, daß eine viele Einzelaktionen umfassende riesige Anstrengung erforderlich sein wird, wenn es eine berechtigte Hoffnung, der Flut Herr zu werden, geben soll.
305	the *devil* of a toothache	*höllische* Zahnschmerzen
306	The millions of passengers who annually entrust their lives and belongings to the planes, seldom think of the *high degree* of organization needed to bring them safely to their destinations.	Die Millionen Reisende, die jedes Jahr ihr Leben und ihr Hab und Gut den Flugzeugen anvertrauen, denken selten an die *hochentwickelte* Organisation, die erforderlich ist, um sie sicher an ihren Bestimmungsort zu bringen.
307	"Science," says Lord Acton, "is a combination of a great mass of simi-	„Wissenschaft“, sagt Lord Acton, „ist die Kombinierung einer riesigen

	lar facts into the *unity* of a generalization, a principle, a law, –."	Menge ähnlicher Fakten zu einer *in sich geschlossenen* Verallgemeinerung, einem solchen Prinzip oder Gesetz, –."
308	Her life had always run pretty smoothly through the *simplicities* of joy and sorrow.	Ihr Leben war in den *einfachen* Freuden und Leiden immer ziemlich glatt verlaufen.

Ein weiteres gutes Beispiel ist auch der Anfang des in Kapitel V gegebenen Satzes 131: the *growth* of the power – die *immer größer werdende* Macht.

Die bisher angeführten Sätze 294–308 waren Beispiele für das Modell a):

verschiedene Waren
a *variety* of goods.

Es folgen Beispielsätze für Modell b):

309	eine *nachdenkliche* Geschichte	a story for *reflection*
310	ein *widerspenstiger* Geist	a spirit of *stubbornness*
311	*ausländischer* Wein	wine of *foreign growth*
312	Zweifellos bedeutet das eine *inhaltliche* Vertiefung des Freiheitsbegriffes.	This indubitably signifies a deepening of *the meaning* of the concept of freedom.
313	Aus diesem Grunde dürfte es sich empfehlen, mit einigen *begriffsgeschichtlichen* Hinweisen zu beginnen.	For this reason it would seem advisable to begin with a few references to *historical concepts.*
314	Viel stärker und oft fast ausschließlich war der *territorial-fürstliche* Ehrgeiz die entscheidende Antriebskraft zur Errichtung eines Generalstudiums.	To a far greater degree – indeed almost exclusively – it was the ambition of *the territorial princes* that constituted their main motive for establishing a studium generale.
315	Schon mit der Besetzung der Mandschurei durch die Japaner im Jahre 1931 war ein neues Element in der *chinesischen* Entwicklung wirksam geworden.	As a result of the occupation by the Japanese of Manchuria in 1931 a new factor made itself felt in the development of *Chinese affairs.*
316	Sein ungeheurer Schmerz in dieser *schwersten* Stunde ruft die Geister längst verstorbener Vorgänger herbei.	His profound grief in this hour of *affliction* summons up the spirits of his great predecessors, long since deceased.

317	Palestrinas *angstvoller* Ruf aus dunkler Tiefe aber öffnet nun den Himmel der Inspiration.	But Palestrina's cry of *anguish* from the dark recesses of his heart now discloses the heavens of inspiration for him.

Und dasselbe Modell in englisch-deutschen Beispielen:

318	a man of *genius*	ein *genialer* Mann
319	His face wore a look of *decision and manliness.*	Sein Gesicht hatte einen *mannhaft-entschlossenen* Ausdruck.
320	eyes of *lonely, far-off, black intentness*	*weltabgewandt-düster bohrende* Augen
321	a look of *impatient expectancy*	ein *ungeduldig-erwartungsvoller* Blick
322	They led a life of *hardships.*	Sie führten ein *sehr beschwerliches* Leben.
323	But it is less easy after the Great War to believe that there are great differences of *character* in the different strata of English society.	Aber es fällt nach dem ersten Weltkrieg schwerer zu glauben, es bestünden zwischen den verschiedenen Schichten der englischen Gesellschaft große *charakterliche* Unterschiede.
324	There is, indeed, a difference in *kind* between Dickens's feelings towards "Copperfield" and his feelings towards his other books.	Es besteht allerdings ein *wesentlicher* Unterschied zwischen Dickens' Gefühlen zu „Copperfield" und seinen Gefühlen zu seinen anderen Büchern.
325	He leaned forward and smiled with peculiar *intimacy.*	Er beugte sich aus seinem Sessel vor und zeigte ein besonders *vertrauliches* Lächeln.
326	But science is by no means deprived of its name and character if it fails to attain these goals of *its ambition.*	Die Wissenschaft geht aber keineswegs ihres Namens und Wesens verlustig, wenn sie diese ihre *ehrgeizigen* Ziele nicht erreicht.
327	The British are an unpredictable people in their domestic and architectural tastes. One generation will, like Sir Christopher Wren, see more beauty in straight lines than in curves; to another the line of *beauty,*	Bei den Engländern sind die Geschmacksrichtungen in der Innen- und Außenarchitektur nicht im voraus zu bestimmen. Eine Generation sieht, wie Christopher Wren, in geraden Linien mehr Schönheit als in

like Hogarth's, will be doubly curved. (Vgl. Beispiele 27 und 223.)

Bögen, für die nächste muß eine *schöne* Linie wie bei Hogarth doppelt geschwungen sein.

328 – the genuine workpeople, who form an essential part of the structure of *society,* and –.

– die eigentliche Arbeiterschicht, die einen wesentlichen Bestandteil der *gesellschaftlichen* Struktur bilden, –.

Schließlich enthält noch der in Kapitel II abgedruckte Satz 28 ein schönes Beispiel (agonies of *anxiety* – *qualvolle* Angstvorstellungen).

X. Verbale Formulierung von Eigenschaften im Deutschen

In der bekannten Sendereihe Ann and her Grandfather des BBC-Programms English by Radio hieß es einmal in einem Dialog:

329 Ann: Yes, here I come to unpack everything and start from the beginning, as I do every time we go away for a holiday. You know *you're a* very bad *packer,* Grandfather.

Ann: Ja, ich komme, um alles wieder auszupacken und von vorne anzufangen, wie ich das jedesmal tue, wenn wir in Ferien fahren. Du *packst* sehr schlecht, Großvater.

Galsworthy hat einmal gesagt:

330 The Englishman *is a* slow *starter,* but there *is* no stronger *finisher.*

Der Engländer *fängt* gemächlich *an,* aber niemand *hält* besser *durch* als er.

Bekannt ist auch das Sprichwort:

331 Time *is a* great *healer.*

Die Zeit *heilt* alles.

Aus all diesen Beispielen geht eindeutig hervor, daß das Englische dazu neigt, Eigenschaften, Zustände, Tatsachen – kurz, alle Nicht-Handlungen – lieber substantivisch als verbal zu formulieren. Zu diesem Zweck kann es beliebige Substantive auf *-er* bilden, wenn es sie benötigt – viele von ihnen auch den größeren Wörterbüchern gänzlich unbekannt. So finden wir z. B. *respecter* (Satz 336), *sitter* (Satz 342), *supplanter* (Satz 339), *enlightener* (Satz 340). Daß auch andere Bildungen möglich sind, zeigt *needle-woman* in Satz 335.

332 He *came off a loser.*

Er *verlor* dabei.

333 He *is a* good *swimmer.*

Er *schwimmt* gut.

334 Even now, Britain *is* still by far *the* biggest *user* of the Canal.

Selbst jetzt *benutzt* England den Kanal weitaus am meisten.

335	It takes me rather a long time, as I *am* not *a* very good *needle-woman.*	Es dauert bei mir ziemlich lange, da ich *mit der Nadel* nicht sehr gut *umgehen* kann.
336	To correct Pater, from whom the last example comes, is perhaps impudence, but grammar *is* no *respecter* of persons.	Pater zu verbessern, von dem das letzte Beispiel stammt, ist vielleicht eine Unverfrorenheit, aber die Grammatik *nimmt* nun mal auf die Person keine *Rücksicht.*
337	In examining the figures it becomes clear, however, that respiratory tuberculosis *is* still *a* serious *killer,* for –.	Bei Prüfung der Zahlen erweist sich jedoch, daß die Lungentuberkulose noch immer viele *Opfer fordert,* denn –.
338	But if you'*re* not *a speculator,* you'll starve.	Aber wenn du nicht *spekulierst,* mußt du verhungern.
339	If it has been only in this century that Europe has felt America as a rival and *supplanter* in world leadership, the shift of influence has been dimly foreseen for many generations, by Abraham Cowley and Bishop Berkeley among the English, by the Abbé Galiani, by Goethe, to pick out a few names.	Wenn es erst in diesem Jahrhundert eingetreten ist, daß Europa Amerika als einen Rivalen empfunden hat, der nunmehr Europas Führerstellung in der Welt *einnimmt,* so ist die Verschiebung des Einflusses doch schon seit vielen Generationen mehr oder weniger deutlich vorhergesehen worden – von A. C. und Bischof B. unter den Engländern, von Abbé G., von Goethe, um ein paar Namen herauszugreifen.
340	That he has been guilty of errors and omissions in some of these, he will learn soon after publication, sometimes with gratitude to his *enlightener.*	Daß er sich mancher Irrtümer und Unterlassungen schuldig gemacht hat, wird er bald nach der Veröffentlichung erfahren, manchmal nicht ohne Dankbarkeit gegenüber dem, *der ihn aufklärt.*
341	According to Noel Coward, certain women should be struck regularly, like gongs. That is a private matter between *the striker* and *the strikee* which I leave to them.	Noel Coward zufolge sollten gewisse Frauen regelmäßig geschlagen werden, wie Gongs. Nun, das ist eine private Angelegenheit zwischen dem, *der schlägt,* und dem, *der geschlagen wird,* die ich den Betreffenden überlasse.

Die englische Formulierung dieses letzten Satzes ist ohne Frage kühn, aber sie zeigt, wie stark diese Substantivierungstendenz im Englischen verwurzelt ist. Um das folgende anschauliche Beispiel zu verstehen, muß man wissen, daß in dem betreffenden Artikel davon die Rede war, wie es wohl ausgehen würde, wenn man in England statt Katzen, dem Beispiel Indiens folgend, Schlangen als Haustiere einführen wollte (enthalten in Beispiel 123).

342	Will it *(i.e. the snake)* insist on curling up on a forbidden chair and then, when it is sat on, glide away sulkily, making plain, in dumb show, that it regards *the sitter* as no better than a human boa constrictor?	Wird sie sich immer wieder auf einem verbotenen Stuhl zusammenrollen und dann, wenn man sich auf sie setzt, verdrossen davongleiten – mit stummen, aber deutlichen Gesten, daß sie den, *der sich da hingesetzt hat,* für nichts Besseres hält als eine Boa constrictor in Menschengestalt?

Das hier dargestellte Übersetzungsprinzip ist in erster Linie für die englisch-deutsche Übersetzung wichtig. Aber auch in der umgekehrten Richtung ist es nützlich:

343	Sie *verstehen* etwas von Menschen.	You'*re a good judge* of people.
344	Niemand, *der sich* ernstlich mit der jüngsten Entwicklung in China *befaßt,* wird künftig diese Dokumentargeschichte entbehren können, sei er Wissenschaftler oder Laie.	No serious *worker* in the fields of recent developments in China will be able to do without this documentary history, no matter whether he is a scientist or a layman.
345	Ihre Architektur ähnelt mittelalterlichen Klöstern und *macht* so den Ursprung unserer Bildung und Wissenschaft in den alten Schulen der Theologie ganz bildhaft *deutlich.*	The architecture resembles that of medieval monasteries, and *is a* picturesque *reminder* of the origin of our education and learning in the old schools of theology.

XI. Präpositionale Wendungen im Deutschen

Die präpositionale Wendung ist dem Englischen nicht fremd; kennzeichnend ist sie für das Deutsche. In sehr vielen Fällen finden wir daher, daß im Englischen an ihrer Stelle ein Partizip, ein Gerundium, ein Infinitiv oder ein Nebensatz erscheint. Das umgekehrte Prinzip ist natürlich ebenfalls gültig, doch lassen sich die verschiedenen infiniten Formen des Englischen sehr oft auch anders wiedergeben. In diesem Kapitel werden daher nur deutsch-englische Beispiele gegeben.

Zuerst Beispiele mit Partizipien im Englischen:

346	Er ging zu der Ausstellung *in Begleitung* seiner Frau.	He went to the exhibition *accompanied* by his wife.
347	Fast anderthalb Millionen Franzosen waren *bei der Verteidigung* französischen Bodens umgekommen.	Nearly a million and a half Frenchmen had perished *defending* the soil of France.
348	*In der Hoffnung,* damit ihr gesellschaftliches Niveau zu heben, beschlossen sie, antike Möbel zu sammeln.	*Hoping* to raise themselves in society, they decided to collect antique furniture.
349	Die Analyse erfaßt auf Grund lückenloser Beobachtung einen Naturvorgang, zerlegt ihn *unter* immer exakterer *Differenzierung* in seine Teilbedingungen und –.	The analysis covers, on the basis of unbroken observation, a natural process, dissects it, *differentiating* with progressively greater exactitude between the conditions of its parts, and . . .
350	Auch die Geschichtswissenschaft bedient sich der analytisch-synthetischen Methode, wenn auch *in einer* ihrem Gegenstand adäquaten *Abwandlung.*	The science of history also makes use of the analytico-synthetic method, though suitably *adapted* to its subject matter.
351	*Mit der Aufstellung* dieser Bedingungen vollzog die KP eine entscheidende Wendung.	*Establishing* these conditions, the Communist Party made a decisive turn.
352	Mao und Chu durchbrachen den Umschließungsring mit dem Kern ihrer verläßlichsten Anhänger und Streitkräfte und gelangten zwei Jahre später *mit* ihrem *dezimierten,* aber *ungebrochenen Anhang* nach Nordwestchina.	Mao and Chu broke through the encirclement with their most reliable followers and the core of their forces. Two years later they arrived in north-western China, *reduced* in numbers but *unbroken* in spirit.
353	Was ich mir *bei den einzelnen Teilen* gedacht habe, würde, in Worte gefaßt, sich oft seltsam genug ausnehmen.	What I thought *while composing the various parts,* would as often as not sound very strange when expressed in words.

Beispiele mit Gerundien im Englischen:

354	Du fängst am besten *mit der Lektüre* dieses Artikels an.	You had better begin *by reading* this article.

355	Fehlschläge schreckten ihn nicht *von nochmaligen Versuchen* ab.	Failure did not deter him *from trying* again.
356	Sie ist sehr geschickt *im Zeichnen* von Tieren.	She is very clever *at drawing* animals.
357	Es besteht bei ihm keine Hoffnung *auf Heilung.*	There is no hope *of curing him.*
358	*Bei der Auswahl* eines Kleides müssen wir auch an die Stoffqualität denken.	*In choosing* a dress, we must not forget the quality of the material.
359	*Durch Verweigerung* jeglicher Nahrungsaufnahme brachte er ihn zur Annahme seiner Vorschläge.	*By refusing* to take any food, he made him accept his proposals.
360	Ich bitte, beiliegenden Brief *nach Einsichtnahme* zurückzusenden.	Please return the enclosed letter *after having read it.*
361	Auch Maximilian Joseph ... konnte nicht mehr tun, als seine Hochschule vor dem wirtschaftlichen Ruin zu bewahren und *mit der rechtlichen Gleichstellung* der Konfessionen dem Lehrkörper wieder einige Bewegungsfreiheit zu gestatten.	Even Maximilian Joseph ... could do no more than preserve his University from economic ruin and allow the teaching staff some elbow room again *by guaranteeing* the confessions *equality of legal status.*
362	Die staatlichen Stellen haben nach 1945 in wachsendem Grade *durch Erhöhungen* der finanziellen Zuwendungen ihre Aufgeschlossenheit für die Universität gezeigt.	The state authorities have given increasing proof of their appreciation of the University's needs *by raising* their financial grants.

Beispiele mit Infinitiven im Englischen:

363	Sie schauderte *beim Gedanken daran.* (Vgl. hierzu Satz 479.)	She shuddered *to think of it.*
364	Die Befähigung *zu logischem Denken* unterscheidet den Menschen vom Tier.	The ability *to reason* makes man different from the animals.
365	Es besteht eine zunehmende Neigung *zur Überbewertung* materiellen Wohlstandes.	There is a growing tendency *to overvalue* material wealth.
366	Sie waren, so will uns scheinen, *auf ihren Sieg* eingestellt, nicht aber *auf die Anerkennung* ihres Sieges.	You were, as we see it, prepared for them *to win,* but not prepared *to recognize* that they had won.

367	Er sandte mir Muster *zur Auswahl.*	He sent me patterns *to choose from.*
368	Die Behörden haben die Genehmigung *zur Einreise* verweigert.	The authorities refused permission *to enter* the country.
369	–, all das empfahl ihn Ruprecht I. als energischen Organisator *beim Aufbau* der neuen Universität.	– all these traits recommended him to Rupert I as an energetic organiser *to build up* the new university.
370	Wohl wird das Bündnis mit der bürgerlichen Kuomintang gerechtfertigt, aber vor den gleichen Genossen, die in dieser Schrift ermahnt werden, sich jederzeit *für den Abbruch* dieses Bündnisses bereitzuhalten.	The alliance with the bourgeois Kuomintang is justified, but the treatise is addressed to the very same comrades who are warned in it to be prepared at any time *to break off* this alliance.
371	– keine Eröffnung der Beratungen *zur Prüfung* des Gedankens eines Südostasienpaktes vor dem Ende der Genfer Konferenz.	– no opening of discussions *to examine* the idea of a South-East Asia pact before the end of the Geneva conference.

Als letztes folgen Beispielsätze, in denen eine deutsche präpositionale Wendung im Englischen durch einen Nebensatz wiedergegeben ist.

372	*Bei hohem Fieber* kann dieses Mittel nicht verabreicht werden.	This drug is not to be administered *if the patient has a high temperature.*
373	Der Patient darf nur *mit ärztlicher Genehmigung* Fleisch essen.	The patient may only eat meat *if the doctor approves.*
374	Sie können sich *auf die prompte Erledigung Ihrer Aufträge* verlassen.	You can rely on it *that your orders will be attended to without delay.*
375	Den Jesuiten folgten *nach der Auflösung des Ordens* franz. Lazaristen.	French Lazarists followed the Jesuits *after that Order had been dissolved.*
376	Sie erlaubte Mao, *nach dem endgültigen Fehlschlag des Kampfes* in den Städten, die Führung der KP zu übernehmen.	It enabled Mao to assume leadership in the Communist Party *after the struggle* in the towns *had ended in complete failure.*
377	*Bei dem augenblicklichen Zustand* der Stellung dürfte es uns schwer fallen, einen Angriff abzuwehren.	*As things are now* we would have a hard time repelling an attack.
378	*Bei der Lage der Dinge* konnte die päpstliche Genehmigung zur Errichtung eines Generalstudiums in Heidelberg nicht zweifelhaft sein.	*As matters stood,* there could be no doubt that Papal authority to establish the studium generale would be forthcoming.

379	Heidelberg und seine Gegend betrachtete ich in zwei völlig heiteren Tagen *mit Verwunderung* und ich darf wohl sagen *mit Erstaunen.*	I viewed Heidelberg and its surroundings on two days of very fine weather and *was surprised,* indeed I may say *astonished,* by what I saw.

Ein weiteres anschauliches Beispiel liefert auch der in Kapitel VIII enthaltene Satz 275 *(fast nach Gutdünken – almost as they might resolve).*

XII. Passive Verben des Sagens und Denkens im Englischen

Es gehört zu den bekannten Besonderheiten des Englischen, daß die sogenannten infiniten Formen – Partizip, Gerundium, Infinitiv – eine wesentlich größere Rolle dort spielen als die entsprechenden Formen des Deutschen. Manche der im Englischen möglichen Konstruktionen haben im Deutschen überhaupt keine Entsprechung, wie zum Beispiel die in diesem Kapitel behandelte Verbindung eines passiven Verbs des Sagens und Denkens mit einem folgenden Infinitiv: *Nations* are said to have *the governments they deserve.* Am elegantesten lassen sich Sätze dieses Typus ins Deutsche übertragen, wenn man das regierende Verb des Sagens und Denkens in einen eingeschobenen Satz umwandelt – entweder einen Nebensatz mit *wie* (oder *soweit*) oder einen Hauptsatz mit *so.* Dieses Übersetzungsprinzip ist natürlich besonders brauchbar für die englisch-deutsche Übersetzung. Da aber deutsche Nebensätze mit *wie,* im Englischen mit *as* oder *how* wiedergegeben, oft falsch und, wenn richtig, nicht sonderlich geschickt sind, ist es gut, sich dieses Prinzip auch für die deutsch-englische Richtung einzuprägen.

380	My partner *is* generally *admitted to be* a good businessman.	Mein Partner *ist, wie allgemein zugegeben wird,* ein guter Geschäftsmann.
381	This is a problem which *is maintained to be* among the most pressing.	Dies ist ein Problem, das, *wie (immer wieder) behauptet wird,* zu den dringendsten *gehört.*
382	He *was understood to have lost* his fortune.	Er *hatte, wie zu erfahren war,* sein Vermögen *verloren.*
383	P. *is understood to have acceded* to the request.	P. *hat, wie es heißt* (oder *wie man hört*) dem Ersuchen *stattgegeben.*
384	He *was found to be* still alive.	Er *war, wie sich herausstellte,* noch am Leben. (Oder *Es stellte sich heraus,* daß er noch am Leben *war.*)

385 Among the anaemias the new vitamin B-12 *has been shown to have* a most important effect on blood formation.

Bei den Anämien *hat* das neue Vitamin B 12, *wie man hat zeigen können,* auf die Blutbildung einen sehr maßgeblichen Einfluß.

386 Newly married couples, in either of whose families a genetic fault *has been known to occur,* are told how great is the risk of its cropping up again among their children.

Jungverheirateten Paaren, bei denen in der einen oder anderen Familie, *wie man weiß,* ein Erbfehler *aufgetreten ist,* wird gesagt, wie groß die Gefahr ist, daß er bei den Kindern wieder auftritt.

In den folgenden Sätzen ist der Einschub eines Hauptsatzes mit *so* besonders geschickt:

387 Nations *are said to have* the governments they deserve.

Völker *haben – so sagt man –* die Regierungen, die sie verdienen.

388 Some of the English sounds *will be found to be* for practical purposes identical with the student's native sounds.

Einige englische Laute *werden, so wird man feststellen,* praktisch mit den muttersprachlichen Lauten des Lernenden identisch *sein.*

389 Gandhi's good health and great energy *are declared* by his intimate co-workers *to be due* to his regular habits.

Gandhis gute Gesundheit und große Energie *sind, so erklären seine engsten Mitarbeiter,* auf seine regelmäßigen Gewohnheiten *zurückzuführen.*

390 There is something about the British which *is felt to be* unwelcoming, freakish and irresponsible.

Die Briten *haben, so empfindet man,* etwas Abweisendes, Groteskes und Leichtsinniges an sich.

391 The second example is the much publicized introduction of what are called antibiotics, which *are alleged to increase* the growth of chickens, pigs, calves and turkeys at a phenomenal rate.

Das zweite Beispiel ist die groß herausgestellte Einführung der sogenannten Antibiotika, die *– so wird jedenfalls behauptet –* das Wachstum von Hühnern, Schweinen, Kälbern und Truthähnen in geradezu unglaublicher Weise *steigern.*

XIII. Das Partizip als syntaktisches Bindeglied

In Kapitel XI hatten wir schon gesehen, daß das Deutsche offenbar großzügiger in der Verwendung seiner Präpositionen ist als das Englische. Das zeigt sich in diesem und im nächsten Kapitel noch deutlicher. Wir können nämlich im Deutschen präpositionale Wendungen ziemlich frei an andere Satzteile anschließen und brauchen auf die logischen Zusammenhänge keine allzu große Rücksicht zu nehmen. Im Englischen ist das anders. *Die Methoden bei fast jedem Fall* (Satz 392), *Antworten aus neun Ländern* (Satz 393), *Dampfer nach allen Teilen* (Satz 394) sind Fügungen, die – wörtlich ins Englische übertragen – unvollständig wirken. Das Bedürfnis, hier die logische Verknüpfung mit Hilfe eines Verbums herzustellen, ist stark. Sie geschieht mit Hilfe eines Partizips oder (Kapitel XIV) eines Infinitivs. Dieses Übersetzungsprinzip gilt für beide Übersetzungsrichtungen.

392	The methods *employed in* nearly every case are roughly the same.	Die Methoden *bei* fast jedem Fall sind im großen und ganzen die gleichen.
393	It analyses the replies *received from* nine countries.	Es analysiert die Antworten *aus* neun Ländern.
394	There are steamers *running to* all parts of the world.	Es gibt Dampfer *nach* allen Teilen der Erde.
395	Some twenty years of experience have shown that answers *obtained from* properly selected samples can produce reliable results.	Eine ungefähr zwanzigjährige Erfahrung hat gezeigt, daß Antworten *von* richtig ausgewählten Personen verläßliche Ergebnisse bringen können.
396	He spoke on the European Service about the problems *involved in* obtaining a correct estimate of public opinion.	Er sprach im Europadienst über die Probleme *bei* der Ermittlung einer richtigen Einschätzung der öffentlichen Meinung.
397	Ich dankte ihm gute Stunden *in* seinem gastlichen Haus.	I was grateful to him for the happy hours *spent in* his hospitable home.
398	Sogar die Darstellungen und Deutungen *im* kommunistischen Bereich weisen Unterschiede auf.	Even the descriptions and interpretations *published in* the Communist area reveal differences.
399	*Vom* Koreakrieg her bestehen große Meinungsverschiedenheiten, –.	There are great differences of opinion *deriving from* the Korean war, –.
400	Die englische Regierung und die Öffentlichkeit sahen sich nun einer amerikanischen Gegenaktion *gegen* die englische Haltung zum Plan eines Südostasienpaktes gegenüber.	The British Government and public were now faced with an American campaign *directed against* the British attitude towards the plan of a South-East Asia pact.

401	Auch *bei* heiklem Gesprächsthema vergißt er nie, daß ein Gast aus Deutschland ihm gegenübersitzt.	Even when *engaged in* delicate topics of conversation, he never forgets that a visitor from Germany is sitting opposite him.
402	Ich befand mich in England und *in* einer jener schwierigen Situationen, die es in diesem Land so überaus häufig gibt.	I was in England and *involved in* one of those difficult situations in which this country abounds.
403	Zu diesem hübsch gelegenen Irrenhaus gelangt man über einen reinlich geharkten Kiesweg *zwischen* sauber geschnittenen Rasenflächen.	This pleasantly located madhouse is approached by a tidily raked gravel path *running between* neatly trimmed lawns.
404	A reporter *speaking in* the BBC's European Service explained the significance of this event.	Ein Reporter *im* Europadienst der BBC erläuterte die besondere Bedeutung dieses Ereignisses.
405	While there are many differing types of museum *ranging from* the modest places for the display of curios to imposing shrines for the housing of great arrays of treasures, the majority falls under two categories: art museums and science museums.	Es gibt zwar viele verschiedene Arten von Museen, *von* den bescheidenen Stellen, an denen Kuriositäten zur Schau gestellt werden, bis zu den imposanten Hallen, die große Arsenale von Schätzen beherbergen, aber die meisten von ihnen gehören doch zu zwei Gruppen: Kunstmuseen und wissenschaftliche Museen.

In diesem Satz könnte man *ranging* natürlich übersetzen mit *die von ... bis ... reichen,* aber es macht den Satz weder klarer noch eleganter. Im folgenden Beispiel könnte man das Partizip *left* im Deutschen durch *noch* anklingen lassen:

406	Admittedly, the invention is no longer significant or memorable, but Strauss in his old age had enough music *left in* him to write an enchanting piece, which weaves a seamless tapestry of golden, mellow sound.	Zugegeben, der musikalische Einfall ist nicht mehr bedeutsam oder denkwürdig, aber Strauß hatte in seinem Alter *noch* genügend Musik *in* sich, um ein entzückendes Stück zu schreiben, das einen nahtlosen Gobelin aus weichen goldenen Tönen webt.

In entsprechender Weise ist auch der folgende Satz ins Englische übersetzt worden:

407	Aber eine letzte Aufgabe sehe ich *noch vor* mir, die mir vielleicht keiner abnehmen kann.	But I see an ultimate task still *left to* me, of which perhaps no one can relieve me.

Zum Schluß seien noch vier Beispiele angeführt, in denen auch ein Partizip als Überleitung auftritt, aber nicht zu einer präpositionalen Wendung, sondern zwischen Substantiv und folgendem Genitiv. Auch hier ist das Verhältnis zwischen den beiden Substantiven zu locker, als daß es das englische Sprachgefühl befriedigen könnte. Die englischen Fassungen zeigen das sehr anschaulich.

408 Ich müßte lügen, wollte ich irgend etwas Präzises über die ersten Augenblicke und *Wortwendungen dieser Begegnung* wiedergeben.

I would be lying if I said I recalled any definite impressions of the first actual *remarks spoken at this meeting.*

409 Statistik ist *aie Wissenschaft der methodischen Gruppierung und Ordnung* von soziologischen Tatsachen, die für eine bestimmte Zeitspanne Geltung haben und sich für eine zahlenmäßige Auswertung eignen.

Statistics is *the science aiming at a methodical grouping,* for a given period, of social facts which can be represented by numbers.

410 Besondere Bedeutung messen wir *der Erklärung der amerikanischen Behörden* bei, –.

We also attach particular importance to *the statement made by the U.S. authorities,* –.

411 Angenehm ist es, durch den neuen Tiergarten zu schlendern. *Der Schatten der* 67 Meter hohen *Siegessäule* ist wie der schwarze Strich einer riesigen Sonnenuhr.

It is pleasant to stroll through the new Tiergarten. *The shadow cast by the Victory Column* (220 ft. high) resembles the dark line marking time on a gigantic sundial.

XIV. Der Infinitiv als syntaktisches Bindeglied

In diesem Kapitel, das mit dem vorigen eng verwandt ist, werden wir sehen, daß der Infinitiv als syntaktisches Bindeglied ebenfalls ein Übersetzungsprinzip darstellt, das in beiden Richtungen nützlich ist. Alle im folgenden gegebenen Beispiele sollten also als Modelle für die Übersetzung deutsch-englisch und englisch-deutsch angesehen werden.

Die Möglichkeiten des Englischen, Infinitive zu verwenden, sind erstaunlich vielfältig. In meinem Buch *Die infiniten Formen des Englischen* habe ich über 20 Satzmodelle erläutert und mit zahlreichen Beispielen belegt. Die im folgenden gegebenen Beispiele gehören durchaus nicht nur einem bestimmten Satztypus an; wir sollten bei englischen Infinitiven also daran denken, ob sie nicht – nach deutscher Auffassung – nur überleitenden Charakter haben und somit wegbleiben können bzw. einer deutschen Präposition entsprechen.

412	She yearned/longed *to see* her children.	Sie sehnte sich *nach* ihren Kindern.
413	We waited *to see* what would happen.	Wir warteten *auf* das, was kommen würde.
414	We went *to see* the exhibition.	Wir gingen *auf* die Ausstellung.
415	He has been *to see* the doctor.	Er war *beim* Arzt.
416	I sent Tom *to buy* some stamps.	Ich schickte Tom *nach* Briefmarken.
417	Take this book *to read* during the journey.	Nimm dieses Buch *auf* die Reise mit.
418	She bought a small camera *to take* snapshots with.	Sie kaufte sich eine Kleinbildkamera *für* Schnappschüsse.
419	I shall need only an hour *to finish* the job.	Ich brauche *für* die Arbeit nur noch eine Stunde.
420	I am waiting *to hear* your explanation.	Ich warte *auf* deine Erklärung.
421	I could not but smile *to hear* her talk in that way.	Ich konnte nur lächeln *bei* ihrem Gerede (*oder* als ich sie so reden hörte).
422	She wept *to see* him go away.	Sie weinte *bei* seinem Weggang.
423	I grieve *to hear* of your failure.	Ich bin betrübt *über* deinen Mißerfolg.
424	My daughter will be thrilled *to wear* an evening dress as lovely as that.	Meine Tochter wird entzückt sein *über* ein so wunderschönes Abendkleid.
425	They would be very surprised *to receive* an invitation.	Sie würden sich *über* eine Einladung sehr wundern.
426	Harry's parents are anxious for him *to receive* a good education.	Harrys Eltern sind sehr *auf* eine gute Erziehung für ihn aus.

Bei den folgenden Sätzen liegt das, was im Englischen durch den überleitenden Infinitiv ausgesagt ist, im Deutschen nicht in einer Präposition, sondern im Präfix des Verbs: *an*tun, *er*leben.

427	What have I *done to offend* you?	Was habe ich dir *angetan?*
428	Von ihm hast du nichts Gutes zu *erwarten.*	You cannot *expect to get* anything good from him.
429	Der Kranke wird den nächsten Tag kaum mehr *erleben.*	The patient will hardly *live to see* another day.

430	He will *live to be* ninety, he is so strong.	Er wird 90 Jahre *erleben* (*oder* er wird mal 90 Jahre alt), so rüstig ist er.
431	Was durfte Moskau von ihnen *erhoffen?*	What could Moscow *hope to get* from them?

Bei den folgenden Beispielen bildet der Infinitiv im Englischen die Überleitung zu einem folgenden Nebensatz im Deutschen. Daß es sich hierbei im Grunde immer um die gleiche syntaktische Überleitung handelt, zeigt der Vergleich von Satz 432 und 433 deutlich.

432	We are mortified *to realize* how little we have done.	Wir sind entsetzt *darüber,* wie wenig wir geschafft haben.
433	Mary was mortified *to find that* she would have to wear a wig.	Mary war entsetzt, *daß* sie eine Perücke würde tragen müssen.
434	She was hurt *to find that* her young man had forgotten her birthday.	Sie war gekränkt *(darüber), daß* ihr Freund ihren Geburtstag vergessen hatte.
435	It rather sets my nerves on edge *to hear the way* you talk of her.	Es ist mir einfach zuwider, *wie* du von ihr sprichst.
436	"Did you tell him Lady Catherine was coming?" – "Of course not. I was flabbergasted *to know* he was here."	„Hast du ihm gesagt, daß Lady Catherine auf dem Weg hierher ist?" – „Natürlich nicht. Ich war völlig überrascht, *daß* er überhaupt da ist."
437	He was annoyed *to hear that* the Conservative Party had got in again.	Er war verärgert, *daß* die Konservative Partei wieder an die Macht gekommen war.

XV. Zusätze zur Abrundung und Erläuterung von Ausdrücken

Die Wendung *ohne Rücksicht auf höhere Kosten* könnte auf Englisch heißen *regardless of the higher costs.* Besser wäre jedoch:

438	ohne Rücksicht auf höhere Kosten.	regardless of the higher costs *involved.*

Dies hieße wörtlich etwa: *ohne Rücksicht auf die höheren Kosten, die inbegriffen sind* oder *die damit zusammenhängen.* Dieser Zusatz ist weder im Deutschen noch im Englischen logisch zwingend. Der schon in den voraufgehenden Kapiteln sichtbar werdende Zug des Englischen zu verbaler, prädikativer Formulierung läßt auch hier die Hinzufügung des Verbums wünschenswert erscheinen. Drei weitere Beispiele mit Partizipien mögen das unterstreichen:

439	Sie geben dem späten Leser das Gefühl einer abhanden gekommenen Harmonie. Und das nicht nur vom Stoff und von der Weltanschauung, sondern auch vom literarischen Handwerk her.	They give the reader of today a feeling of harmony long since vanished. This is the result not only of the subject matter and philosophy of life, but also of the literary craftsmanship *displayed.*
440	Ein kürzlich herausgebrachter Band versucht, durch Beispiele ein annäherndes Bild vom Wesen seiner Poesie zu geben.	A recently published volume attempts to give an insight into his poetry by examples *provided.*
441	A new £1.25 million technical centre, built by the International Wool Secretariat, will provide a valuable service for the world's textile and carpet industries. The main object of the service *provided* will be in helping to bridge the gap between the laboratory and the mill.	Ein neues technisches Zentrum, vom Internationalen Wollsekretariat für 1,25 Mill. Pfund erbaut, wird für die Textil- und Teppichindustrien der Welt einen wertvollen Dienst leisten. Das Hauptziel dieses Dienstes wird darin bestehen, daß er die Kluft zwischen Labor und Fabrik schließen hilft.

Statt eines Partizips kann es natürlich auch eine andere Verbform sein:

442	Der Weg von da nach Heilbronn ist teils fürs Auge sehr reizend, teils durch den Anblick von Fruchtbarkeit vergnüglich.	The road from thence to Heilbronn is now enchanting to the eye, now delightful by reason of the spectacle of fruitfulness *it offers.*

Besonders häufig finden wir hier den Infinitiv:

443	There was your grey suit as well. I sent it to the laundry *to be cleaned.*	Da war auch noch dein grauer Anzug. Den hab ich zur Wäscherei (*oder* in die Reinigung) gegeben.
444	She held out her hand for me *to shake.*	Sie hielt (*oder* streckte) mir ihre Hand hin.
445	The crowd made way for the procession *to pass.*	Die Menge machte der Prozession Platz.
446	He opened the door for the cat *to go out.*	Er machte der Katze die Tür auf (*oder* ließ die Katze zur Tür hinaus).

447	Something ought to be left for ingenious readers *to find out.*	Etwas muß ja schließlich den klugen Lesern überlassen bleiben.
448	He found plenty of work *to do.*	Er fand viel Arbeit vor.
449	We could think of nothing *to say.*	Uns fiel nichts ein.
450	There has been so much work *to get through* this morning that I haven't had time to think about the question.	Heute morgen hat es so viel Arbeit gegeben, daß ich keine Zeit hatte, über die Frage nachzudenken.
451	You can rely on me *to stand by you* (or *to help you)* if you are in trouble.	Du kannst dich auf mich verlassen, wenn du in Schwierigkeiten bist.
452	We have fixed the meeting *to be held* on Friday.	Wir haben das Treffen auf Freitag gelegt (*oder* für Freitag angesetzt).
453	He had fixed for the marriage *to take place* at eleven.	Er hatte die Trauung auf 11 Uhr gelegt (*oder* für 11 Uhr angesetzt, vereinbart).
454	A black tie was the proper thing *to wear.*	Eine schwarze Krawatte war das Richtige.
455	Sometimes the student may not know which of two words is the proper one *to use* in a certain context.	Manchmal weiß der Lernende vielleicht nicht, welches von zwei Wörtern in einem bestimmten Zusammenhang das richtige ist.
456	Seine Rede enthielt die Erklärung, daß er persönlich die Entsendung von Truppen nach Indochina für richtig halte.	His speech contained a declaration to the effect that he, personally, considered it the proper thing *to do* to send troops to Indo-China.
457	Die demokratische Volksdiktatur, die Mao in dieser seiner grundlegendsten Rede dem chinesischen Volk verheißt, war nichts grundlegend Neues.	The People's Democratic Dictatorship which Mao promised *to bring about* for the Chinese people in this most fundamental speech of his, was not anything vitally new.

Die Frage, wieweit in den bisher gegebenen Beispielen im wesentlichen ein Bedürfnis vorherrschte, einen Satz syntaktisch zu vervollständigen, und wieweit es eher die Notwendigkeit war, den Gedanken logisch befriedigend zu formulieren, ist nicht leicht zu beantworten. Für praktische Zwecke ist es auch nicht von entscheidender Wichtigkeit. Es gibt nun aber Fälle, bei denen die in der englischen Übersetzung zugefügten Wörter offensichtlich logischem, nicht sprachlichem Bedürfnis entsprangen. Was in der einen Sprache aus Kontext und Wort heraus noch verständlich erscheint (jedenfalls dem Autor), erscheint dem Übersetzer in der anderen Sprache ergänzungs-, erläuterungsbedürftig.

In dem Einleitungsbeispiel auf Seite 10 war *education* mit *Erziehung und Bildung* wiedergegeben worden, um den vollen Bedeutungsgehalt des Wortes auszuschöpfen. In ähnlicher Weise verfuhr der Übersetzer in folgendem Beispiel:

458	He shows a discerning relish for what is *most original* in his subjects.	Mit Scharfsinn und ein wenig Feinschmeckerei findet er bei allen von ihm behandelten Personen *das Ursprünglichste und* Originellste.

Original kann sowohl *ursprünglich* wie *originell* bedeuten. Aber diese Unterscheidung ist ebenso wie bei *education* eine, die deutschem, nicht englischem Sprachdenken eigen ist. Wenn der Kontext nahelegt, daß ein Wort in seiner umfassenden Bedeutung zu verstehen ist, sind Zusätze der besprochenen Art notwendig.

459	Churchills eigene Erfahrungen mit der Intervention gegen die russische Revolution nach dem ersten Weltkrieg *empfehlen* ihm eine nüchtern realistische Politik.	Churchill's own experience with intervention against the Russian revolution after the First World War *is sufficient to recommend* to him a sober, realistic policy.

Dieses Beispiel erinnert sehr an die in Kapitel VII behandelten Sätze. *Experience* als Subjekt von *recommend* ist schwer vorstellbar, so daß der Zusatz *sufficient* auch von daher gerechtfertigt ist.

Weitere Beispiele, für die sich ein Kommentar wohl erübrigt:

460	A sky of soft subtle *changes*.	Ein Himmel von einem sanften, feinen *Spiel der Farben*.
461	Es war ein warmer Märztag, *mit Blumen und Vögeln* und blaßblauem Himmel.	It was a warm day in March – there was a pale-blue sky, *the flowers were in bloom and birds on the wing*.
462	Die Karikatur Lows steht unter dem Signum der Freiheit, *der Kritik* nach oben und nach unten und rund herum im eigenen Lager.	Low's cartoons bear the sign of freedom, *criticizing people and things* above him, below him, and on his own level.
463	Die Universität Heidelberg verlor schließlich jede wissenschaftliche Reputation. *Aufklärerische Bestrebungen*, auch etwa der Versuch Karl Theodors, 1777 Lessing als Kurator zu gewinnen, blieben demgegenüber bedeutungslos.	In the end, Heidelberg University lost every shred of academic reputation. *Efforts made to counteract this during the Enlightenment*, as for instance Charles Theodore's attempt to appoint Lessing a Kurator (Trustee supervising university activities) were unavailing.

464	Heidelberg und seine Gegend betrachtete ich in zwei völlig heitern Tagen mit Verwunderung und ich darf wohl sagen mit Erstaunen.	I viewed Heidelberg and its surroundings on two days of very fine weather and was surprised, indeed I may say astonished, *by what I saw.*
465	Auf der Leinwand *wartet* Bernard Shaw auf ihn im Bibliothekszimmer seines Hauses.	On the screen, Bernard Shaw *is shown waiting* for him in the library of his house.

XVI. Deutsche Sätze ohne nominales Subjekt

In diesem und den folgenden Kapiteln geht es um das Subjekt eines Satzes. Von ganz wenigen Fällen abgesehen muß im Englischen das Subjekt eines Satzes immer nominal – also durch ein Substantiv oder Pronomen – ausgedrückt sein. Im Deutschen ist das keineswegs so, weshalb man hier ein wenig vorsichtig sein muß. Wir sagen im Deutschen *Es wird darauf hingewiesen, daß –*. Fügen wir eine adverbielle Wendung hinzu, dann heißt es aber *In Paris wird darauf hingewiesen, daß –*. Im Englischen steht natürlich in beiden Fällen *it:*

466	*It is pointed out* in responsible quarters in Paris that when –. (Der vollständige Satz erscheint als Beispiel 748.)	In verantwortlichen Kreisen in Paris *wird darauf hingewiesen,* daß –.

Da in solchen Fällen die Eröffnung des englischen Satzes mit *it* eigentlich selbstverständlich ist, folgen nur wenige Beispiele:

467	Mit aller Schärfe und Deutlichkeit *sei gesagt,* daß wir dem Plan nicht zustimmen.	*It should be said,* with all emphasis and clarity, that we are opposed to the plan.
468	In der amerikanischen Presse *war behauptet worden,* die amerikanische Absicht wäre gewesen, das Schicksal von Dien Bien Phu durch „einen Hut voll Atombomben", lokal angewandt, zu entscheiden.	In the American press *it had been alleged* that it had been the American intention to decide the fate of Dien Bien Phu by local application of "a hatful of atomic bombs."
469	Später *wurde entschieden,* daß einige von ihnen von anderen Lehrern unterrichtet werden könnten.	Later on *it was decided* that some of them might be taught by other masters.
470	Im englischen Unterhaus *wurde enthüllt,* daß –.	*It was revealed* in the House of Commons that –.

Dieses vorwegnehmende oder einführende *it* (anticipatory or introductory it), das ja auf einen späteren Nebensatz oder Infinitiv hinweist, wird von einem Deutschen sehr viel leichter übersehen, wenn es in einen Relativsatz eingebettet ist, wofür die folgenden Sätze Beispiele sind:

471	A conference was held which *it* was my duty to attend.	Eine Konferenz wurde abgehalten, an der teilzunehmen meine Pflicht war.
472	The debate on the bill produced a tangle of arguments which *it* required all Mr. Chamberlain's skill to untie.	Die Debatte über die Gesetzesvorlage ergab einen Wirrwarr von Argumenten, den zu entwirren Mr. Chamberlains ganze Geschicklichkeit erforderte.
473	This is a thing which *it* is easy to say but hard to do.	Das ist etwas, was leicht zu sagen, aber schwer zu tun ist.
474	The heaving and turbulent centuries which at one time *it* was the fashion to characterize as the "Dark Ages" have long had a peculiar fascination for historians.	Die umwälzenden und turbulenten Jahrhunderte, die als „Dark Ages" zu kennzeichnen in einer gewissen Zeit Mode war, sind schon seit langem für Historiker von besonderer Faszination. (*Mode* ist hier Prädikatsnomen!)
475	That is a question which *it* is very hard to answer and probably there is no one reason for this apparent apathy. The mass of unorganised women are not in industry but working in offices and theatres, cinemas and restaurants.	Das ist eine Frage, die sehr schwer zu beantworten ist, und wahrscheinlich besteht für diese offenkundige Apathie nicht nur ein bestimmter Grund. Die Mehrzahl der nichtorganisierten Frauen sind nicht in der Industrie tätig, sondern arbeiten in Büros und Theatern, Kinos und Restaurants.
476	The order of the court had been flouted by the father not being allowed into the flat where *it* had been ordered that he should see his daughter.	Die Anweisung des Gerichts war dadurch mißachtet worden, daß man dem Vater nicht gestattete, in die Wohnung zu gehen; daß er dort seine Tochter treffen sollte, war gerichtlich angeordnet worden.
477	If he praised Jones beyond reason it was probably because Jones raised	Wenn er Jones über das vernünftige Maß hinaus pries, dann wahrschein-

	hopes and expectations which *it* could not then be foreseen that his later works would disappoint.	lich deswegen, weil Jones Hoffnungen und Erwartungen weckte, von denen damals noch nicht vorauszusehen war, daß seine späteren Arbeiten sie nicht rechtfertigen würden.
478	The great bulk of the work done in the world is work which *it* is vital should be done.	Die allermeiste Arbeit, die in der Welt getan wird, ist Arbeit, die zu tun lebensnotwendig ist.

Eine dritte Gruppe subjektloser Sätze bilden im Deutschen die unpersönlichen Formulierungen vom Typus *Mich schauderte bei dem Gedanken daran* oder *Später wurde musiziert.* Hier geht es weniger darum, daß man das Subjekt im Englischen vergessen könnte, als darum, was im Englischen als Subjekt dienen soll. Die hierfür gegebenen Beispiele lassen sich im Deutschen alle so umwandeln, daß das Subjekt *es* erscheint, und damit bilden diese Sätze zugleich Beispiele für das folgende Kapitel XVII, das sich mit der Wiedergabe des deutschen *es* befaßt.

479	Mich schauderte bei dem Gedanken daran. (Vgl. hierzu Satz 363.)	*I* shuddered to think of it.
480	Mit einem Krieg wäre niemand gedient.	*A war* would serve nobody.
481	Im Vertrag von Troyes wurde festgelegt, daß Heinrich I. König von Frankreich werden sollte.	*The treaty of Troyes* arranged that Henry I should become King of France.
482	Graut dir vor einem Besuch beim Zahnarzt?	Do *you* dread a visit to the dentist's?
483	Einem guten Sohn ist immer daran gelegen, seinen Eltern Freude zu machen.	*A good son* is always anxious to please his parents.
484	Mit ihr verheiratet zu sein ist einfach ein Vergnügen.	*She* is great fun to be married to.
485	Darüber läßt sich streiten.	*That's* a matter of argument.
486	Später wurde musiziert.	Later on *there* was some music.
487	Anschließend wurde im Hause des Organisten getafelt und getrunken.	Afterwards *there* was much feasting and drinking in the organist's house.

Nicht wenige Beispiele des folgenden Kapitels lassen sich leicht in Sätze ohne *es* – also subjektlose Sätze – umwandeln und bilden somit auch Beispiele für das hier Gesagte. Es sind die Sätze 492–494, 499, 500, 510, 556, 557, 559.

XVII. Die Wiedergabe des deutschen ‚es'

Dieses Kapitel steht, wie schon gesagt, in engem Zusammenhang mit dem vorigen Kapitel über die subjektlosen Sätze des Deutschen, aber auch mit dem folgenden Kapitel, das es mit der Wortstellung zu tun hat, vor allem mit der Voranstellung der Objekte. Gegen Ende des vorigen Kapitels lernten wir die beiden Sätze kennen *Mich schauderte bei dem Gedanken daran* (Satz 479) und *Später wurde musiziert* (Satz 486). Sie könnten beide auch lauten:

488	*Es* schauderte mich bei dem Gedanken daran.	*I* shuddered to think of it.
489	*Es* wurde später musiziert.	Later on *there* was some music.

Nehmen wir den Satz

490	*Es* fehlte ihm der Mut dazu.	*He* lacked the courage to do it.

so könnte er auch lauten: *Ihm* fehlte der Mut dazu (bei unveränderter englischer Entsprechung; Satz 606), womit wir dann in Kapitel XVIII gelandet wären.
Die drei bisher gegebenen Beispiele mit *es* zeigen schon zwei verschiedene Lösungsmöglichkeiten: das persönliche Subjekt (Satz 488 und 490) und das Subjekt *there* (Satz 489). Wenn wir noch andere Satztypen hinzunehmen, finden wir folgendes:

Da im Englischen, wie wir in Kapitel VII gesehen haben, die konkrete Formulierung so wichtig ist und dieses Prinzip in der Praxis bedeutet, daß nach Möglichkeit die Person (oder das Ding) Subjekt des Satzes wird, finden wir bei der Mehrzahl der deutschen Sätze, die ein *es* enthalten, in der englischen Entsprechung eine Person als Subjekt. Diese Person erscheint im deutschen Satz als Dativ oder Akkusativ oder in Verbindung mit einer Präposition. Oder aber es wird das Prädikatsnomen oder das Subjekt eines abhängigen Satzes zum Subjekt des englischen Satzes. Das Englische geht in seinem Bestreben, ein gegenständliches Subjekt zu haben, so weit, daß es notfalls ein scheinbar fehlendes Subjekt aus dem Verbum des Satzes oder sogar aus dem Sinn des Textganzen herausholt. Die beiden anderen Möglichkeiten sind die Wiedergabe durch *there* oder durch solche Substantive wie *matter, things, people* usw. Während letzterer Fall ein gutes Beispiel für die in Kapitel VII behandelte Tendenz des Englischen zum Konkreten ist, steht die Konstruktion mit *there* (meist *there is*) in enger Beziehung zu dem in Kapitel X behandelten Thema. Denn die Konstruktion mit *there is* bedingt, daß im Englischen substantivisch erscheint, was das Deutsche verbal ausdrückt: es *zieht* – there is *a draught*. Wie in Kapitel X handelt es sich auch hier nicht um Vorgänge oder Handlungen, sondern um Zustände. Es wird nicht ein Vorgang oder eine Handlung beschrieben, sondern ein Zustand (eine Nicht-Handlung) festgestellt.

Diese Übersetzungsmöglichkeiten in tabellarischer Darstellung:

Das Subjekt des englischen Satzes entspricht im deutschen Satz

a) dem Objekt (Satz 491–505)
b) dem Subjekt des abhängigen Satzes (Satz 506–510)
c) der präpositionalen Wendung (Satz 511–524)
d) dem Prädikatsnomen (Satz 525–531)
e) dem Verb (Prädikat) (Satz 532–537)
f) einem Begriff aus dem Kontext (Satz 538–543)

Das Subjekt des englischen Satzes ist

g) *there* (Satz 544–557)
h) *matter, things, people* usw. (Satz 558–563).

Beispiele:

491	*Es* wurden *ihm* alle Bücher gezeigt. Ihm wurden alle Bücher gezeigt.	*He* was shown all the books.
492	Du hast keine Ahnung, wie traurig *es mir* um's Herz ist.	You have no idea how sad *I* feel.
493	*Es* wunderte *mich,* ihre Stimme nebenan zu hören.	*I* wondered at hearing (I was surprised to hear) her voice in the next room.
494	*Es* freut *mich,* daß du gekommen bist.	*I'm* happy that you have come.
495	*Es* gelang ihr, ihn zu überzeugen.	*She* succeeded in convincing him.
496	Ist *es deinem Vater* recht, daß du ins Ausland gehst?	Is *your father* willing for you to go abroad?
497	*Es* tat *mir* leid, so früh gehen zu müssen.	*I* was sorry to have to leave so early.
498	*Es* täte *mir* leid, wenn du meintest, ich schätze deinen Rat nicht.	*I* should be sorry for you to think I don't value your advice.
499	*Es* war *mir* sehr unbehaglich zumute.	*I* felt very uncomfortable.
500	*Es* wurde *ihm* klar, daß er einen großen Fehler gemacht hatte.	*He* realized that he had made a big mistake.
501	*Es* war für *sie* eine Beruhigung, daß sie den Atlantik hinter sich hatten.	*They* were relieved to have crossed the Atlantic.
502	*Es* hat *mir* gefallen, daß er sich der Kinder angenommen hat.	*I* liked his taking up the cudgels for the children.

503	*Es* war *mir,* als ob mir der Kopf platzte.	*I* felt as if my head were bursting (*or* would burst).
504	*Es* fiel *uns* nichts ein.	*We* could think of nothing to say.
505	*Es* fehlt *ihm* nie an einer Ausrede.	*He* is never at a loss for an excuse.
506	Es wird vermutet, daß *sie* sich verirrten.	*They* are supposed to have lost their way.
507	Es dauert lang, bis *der Zug* kommt.	*The train* will be long in coming.
508	Wie lang *es* dauert, bis *du* angezogen bist.	What a long time *you* are dressing.
509	*Es* wäre besser, *jemand* schriebe es.	*Somebody* had better write it.
510	*Es* wäre besser, *du* gingst (oder gehst) jetzt.	*You* had better go now.
511	*Es* ist ein seltsam Ding *um die Liebe.*	*Love* is a strange thing.
512	*Mit diesen Gartenstädten* ist *es* wie mit jeder anderen berühmten Einrichtung in England.	*These garden cities* are like every other famous institution in England.
513	*In dem Hause* läßt *es* sich vergnüglich leben.	*The house* can be lived in with pleasure.
514	*Es* geht *zu Ende.*	*The end* is not far off.
515	*Es* ist nicht heiß *in den Zimmern.*	*The rooms* are not hot.
516	*Es* ging eine alte Wendeltreppe hinauf *in das oberste Stockwerk.*	*The top floor* was reached by an old spiral staircase.
517	*Es* ist sehr nett *von dir,* das zu sagen.	*You* are very kind to say so.
518	*Es* war ungezogen *von ihr,* die Katze am Schwanz zu ziehen.	*She* was naughty to pull the kitten's tail.
519	*Es* ist einfach ein Vergnügen, *mit ihr* verheiratet zu sein.	*She* is great fun to be married to.
520	*Es* spukt hier (oder *an diesem* Ort).	*This place* is haunted.
521	*In seinem Herzen* war *es* leer.	*His heart* was (*oder* felt) empty.
522	Ebenfalls typisch für diese Zeit ist die gewaltige Wasserhebemaschine zu Marly, die den Fontänen im Schloßpark von Versailles das Wasser zuführte. *In einem Fachbuch* von 1739 heißt es bei der Beschreibung der monströsen Anlage: –.	Equally typical of the time was the huge water-works at Marly, which fed the fountains at Versailles. *An engineering book* of 1739 describes this gigantic installation as follows: –.

523	*Bei der Dampfkugel* handelte es sich um die seit dem Altertum bekannte Erscheinung, daß –.	*The steam ball* was the age-old device utilising the fact that –.
524	*Bis zur Dampfmaschine* war *(es)* freilich noch ein sehr weiter Weg.	*The steam engine* was still a long way off.
525	*Es* wurde *ein strahlender Tag.*	*The day* turned out to be a fine one.
526	*Es* ist *eine lange Geschichte.*	*The story* is a long one.
527	*Es* war ein freudeleeres *Leben* im Königsschloß zu Berlin.	*Life* was dismal in the royal palace at Berlin.
528	*Es* war *dunkel* geworden.	*Darkness* had come on.
529	In der Französischstunde hörte ich zum ersten Mal von ihr. *Es* war *der Satz* zu übersetzen: –.	It was in a French lesson that I first heard of her. *The* following *sentence* was to be translated: –.
530	Aber *es* war außerdem gerade *ein Weltkrieg* im Gange, und die Zeitungen schrieben nur über den Krieg.	But besides *a world war* was just being waged and the newspapers wrote only about the war.
531	*Es* ist *die Größe und Verheißung* der neuzeitlichen Wissenschaft, daß sie wenigstens in ihren Anfängen sich gegen solche Grenzüberschreitungen kritisch verhalten hat.	*The greatness and promise* of modern science lies in the fact that, at least at its beginnings, it adopted a critical attitude towards such transcursions.
532	*Es dämmerte* eben über London.	*The dawn* was just breaking over London.
533	*Es brannte* überall.	*Fire* was everywhere.
534	*Es geht* schwer und steil aufwärts durch die Heide.	*The pathway* leads steep up through the heather.
535	*Es hat sich* vieles *geändert.*	Many *changes* have occurred (*or* have been brought about).
536	*Es fragt* sich, ob das wahr ist.	*The question* is whether this is true.
537	In der Naturwissenschaft *geht es darum,* die Natur in ihren verschiedenen Bereichen möglichst genau zu beobachten und daraus ihr Wirken zu verstehen.	*The task* of the scientist, after all, is to observe nature in all its fields as accurately as possible and thus to understand its workings.
538	Ohne Charakter geht *es* nicht.	*You* can't do without moral character.

539	Aber plötzlich kam ein bedrücktes Schweigen, *es* ging wie ein Atemhalten gespenstisch durch den kleinen Raum.	Suddenly there was an oppressive silence, and *we* held our breath during the ghostlike performance which then followed in the narrow room.
540	Wenn *es* ein ‚richtiger' Oxforder Don ist, trifft man ihn in seinem Zimmer an, halb versunken in einen tiefen Sessel ...	If *the tutor* is a true Oxford don, he is always to be found in his room, buried in a low armchair ...
541	Um 7 Uhr abends, wenn die Glocke zum Dinner läutet, füllen sich die Kreuzgänge, und über die Binnenhöfe und den Garten schreiten Studenten und Dons mit schwingenden, schwarzen Talaren, die man über dem Anzug trägt, in die ‚Hall'. *Es* sieht aus wie ein Zug von Mönchen.	At seven in the evening, when the bell rings for dinner, the cloisters are thronged with the undergraduates and the dons, in their swinging black gowns (which are worn over the ordinary dress), walking across quad and garden to hall. *They* look like a procession of monks.
542	Wieder andere müssen mindestens jeden Sonntag ein neues Puzzle haben. Nahezu jede Familie hat eine kleine Sammlung. *Es* ist eine große Industrie.	Others again must have a new puzzle at least every Sunday. Almost every family has a small collection. *Puzzles* are a large industry.
543	–, so ist das ebenfalls darauf zurückzuführen, daß die Forschung bereits die Grundlagen für die kommenden Entwicklungen kennt, die auf einer neuen wissenschaftlichen Denkweise beruhen. „*Es* handelt sich" – schrieb 1956 Dr. Walter Gerlach – „um die Lichtquantentheorie, –."	– research has already revealed the foundations of such advances, which are based on a new pattern of new scientific thinking. As Dr. Walter Gerlach wrote in 1956: "*The key* is the quantum theory of light, –."
544	*Es* klopft (an).	*There* is a knock at the door.
545	*Es* zieht.	*There* is a draught.
546	*Es* brennt.	*There* is a fire.
547	*Es* pfiff.	*There* was a whistle.
548	*Es* sind noch 14 Tage bis Weihnachten.	*There* is still a fortnight to go until Christmas.
549	*Es* bleibt mir nichts anderes übrig als nachzugeben.	*There* is nothing I can do but yield.
550	*Es* muß ein Fehler vorliegen.	*There* must be a mistake.

551	*Es* trat eine tiefe Stille ein.	*There* fell a deep silence.
552	*Es* wurde an jenem Tag sehr wenig Arbeit geleistet.	*There* was very little work done that day.
553	*Es* raschelte von fallenden Blättern.	*There* was a rustling noise of falling leaves.
554	*Es* geht nichts übers Reisen.	*There* is nothing like travelling.
555	*Es* ist noch nicht alles.	*There*'s more to it than that.
556	*Es* wurde gesungen und getanzt.	*There* was singing and dancing.
557	*Es* wurde viel gelacht.	*There* was a lot of laughter.
558	*Es* wird immer schlimmer.	*Things* are getting worse and worse.
559	*Es* wurde viel gelacht.	*People* laughed a great deal.
560	*Es* bedarf keines großen Bedenkens.	*The matter* does not require great consideration.
561	*Es* ist schlecht um ihn bestellt.	*His affairs* are in a bad way.
562	Wie steht *es* (*oder* wie geht es)?	How are *things*?
563	*Es* geht um Leben und Tod.	It's *a matter* of life and death.

XVIII. Die Stellung von Subjekt und Prädikat im englischen Satz

Zu den Grundtatsachen des englischen Satzbaus gehört die Wortstellung Subjekt – Prädikat – Objekt (S-P-O). So klar und einfach das ist, so leicht weicht man als Deutscher doch davon ab, denn das Deutsche kennt nun einmal ein solches Grundprinzip nicht. Die Gruppe A der in diesem Kapitel gegebenen Beispiele enthält daher Sätze, in denen das Deutsche eine von S-P-O stark abweichende Satzstellung aufweist, der englische Satz aber trotzdem mit dem Subjekt anfängt. Besonders beliebt ist im Deutschen ein Satztypus, der an der Satzspitze einen Dativ (oder Akkusativ) zeigt. Hier hat das Englische nicht nur die bekannte Möglichkeit der Umwandlung ins Passiv, die im folgenden Kapitel behandelt werden wird, sondern noch die keineswegs seltene Konstruktion mit *have* (Gruppe B). In der Gruppe C schließlich sind Sätze zu finden, bei denen es nur um Subjekt und Prädikat geht: zwischen beide Satzteile wird gern etwas eingeschoben, aber nicht auf die gleiche Weise.

A SPÄT- ODER ENDSTELLUNG DES SUBJEKTS IM DEUTSCHEN ANFANGSSTELLUNG DES SUBJEKTS IM ENGLISCHEN

In den Beispielen der Sätze 564–570 ist die deutsche Satzstellung emotional bedingt. In den folgenden Sätzen 571–578 handelt es sich um rhetorische Hervorhebung, die in den Sätzen 579–585 dazu führt, daß das Subjekt ganz ans Ende auch recht langer deutscher Sätze rückt. Die englischen Übersetzungen stülpen das völlig um: das Subjekt eröffnet den Satz.

564	Das sagte *ich* (ja) zu Anfang.	*I* said that at the beginning.
565	So kann *die Sache* nicht bleiben.	*The matter* cannot rest here.
566	Das dachte *ich* mir.	*I* thought so.
567	Das verbitte *ich* mir.	*I* won't stand that.
568	Von jetzt an wird *das* anders.	*It's* going to be different from now on.
569	Diese Entschuldigung lasse *ich* nicht gelten.	*I* won't take that excuse.
570	Was *Sie* nicht sagen!	*You* don't say so.
571	In dieser Art der Erziehung hat *ein antiker Gedanke* die Jahrtausende überlebt.	*A very old idea* has survived for thousands of years in this kind of education.
572	Berühmt geworden ist aus dieser Rede *jener Absatz*, der von den unter Maos Führung zu auswärtigen gewordenen Beziehungen zur Sowjetunion handelt: –. (Hauptton – durch Inversion – auf *Absatz*.)	*One paragraph* in this speech has become famous – the one about the relations with the Soviet Union that, under Mao's leadership, had become foreign relations: –. *(Paragraph* hervorgehoben durch *the one.)*
573	Von Wüllmer um eine kurze Einführung gebeten, schrieb *Strauß* an diesen: –.	*Strauss*, asked by Wüllmer for a short introduction, writes: –.
574	Selbst auf dem Höhepunkt der Polemik hätte *keine englische Zeitung* gewagt, eine solche Analyse der Situation anzustellen.	*No British newspaper* would have dared to publish such an analysis even when the controversy was at its height.
575	Mit „Rheingold" unter der Leitung von Bruno Walter begann *die Opernsaison* in Covent Garden.	*The opera season* at Covent Garden opened with "Rheingold" under the direction of Bruno Walter.
576	Jetzt soll eine Tag und Nacht durch Steinkohlen betriebene *Dampfmaschine* aufgestellt werden.	*A machine* driven day and night by coal is now to be erected. (Das Wichtige ist nicht 'jetzt', sondern die ungeheuerliche Maschine.)

577	Ähnliche Erfahrungen sammelte ein Jahrzehnt später *der westfälische Tischler und Mechaniker* Franz Dinnendahl, als er Dampfmaschinen zu bauen begann.	About ten years later, *the Westphalian joiner and engineer* F.D. had a similar experience, when he began to construct steam engines.
578	Auf den „inneren Zusammenhang der Universitätsgründung mit den politischen Bestrebungen Ruprechts", wie er sich aus der bevorzugten Heranziehung von Professoren als Gesandte, Ratgeber und richterliche Beamte ergibt, hat *Gerhard Ritter* in seiner Geschichte der Universität Heidelberg nachdrücklich aufmerksam gemacht.	*Gerhard Ritter,* in his history of Heidelberg University, has pointed out with some emphasis "the inner connection between the founding of the University and Rupert's political endeavours", as becomes apparent from his preference for engaging professors as envoys, advisers and judicial officials.
579	Eine straff disziplinierte Organisation war *ihr Instrument.*	*Their instrument* was a rigidly disciplined organisation.
580	Ein wichtiges Mittel ist *die Prügelstrafe,* vor der nur die allerältesten Schüler sicher sind.	*Corporal punishment* is an important means; only the very oldest pupils are safe from it.
581	Bedeutsamer und zukunftsoffener sollte *die Reformation* werden.	*The Reformation* was to prove more significant and more receptive towards trends to which the future belonged.
582	Den Jesuiten folgten nach der Auflösung des Ordens *französische Lazaristen.*	*French Lazarists* followed the Jesuits after that Order had been dissolved.
583	Bei der Philosophischen Fakultät blieb *eine Sozial- und Wirtschaftswissenschaftliche Fachgruppe* zurück.	*A group of disciplines* related to social and economic studies known as the "Sozial- und Wirtschaftswissenschaftliche Fachgruppe" remained within the University's Philosophic Faculty.
584	Als Mitteilung der Vereinigung erscheint in jedem Semester einmal *die „Ruperto-Carola".* Sie berichtet aus dem Universitätsleben in Vergangenheit und Gegenwart, –. Unmittelbar	"*Ruperto-Carola*", the Association's journal, appears once per term. It reports on University life past and present, –. *The "University Advisory Committee"* serves to maintain and

dem Zweck, die lebendige Verbindung zwischen Universität und Bevölkerung zu erhalten und zu vertiefen, dient *der „Beirat der Universität“*. Meinungsaustausch seiner Mitglieder und intensive Teilnahme der Universität an der Erwachsenenbildung sind *seine Ziele*.

deepen the living ties between University and population. *Its aims* are the exchange of views among its members and the intensive participation of the University in adult education.

585 Mit einem hallenden Krachen zersprang das *Metall*.

The *metal* burst with a ringing crash.

B ANFANGSSTELLUNG DES OBJEKTS IM DEUTSCHEN UMWANDLUNG DES OBJEKTS ZUM SUBJEKT OHNE PASSIVKONSTRUKTION

Ein Satz wie *Ihm wurden zwei Stellen angeboten* läßt sich ins Englische nicht nur so übertragen: *He has been offered two posts*, sondern auch so: *He has had two posts offered him*. Bei der zweiten Formulierung tritt die Verbalhandlung mehr in den Hintergrund, das Gewicht der Feststellung liegt auf *two posts*. Bei dieser Konstruktion *have + Partizip oder Infinitiv* handelt es sich nicht etwa um *to have* im Sinne von *veranlassen*, sondern im Sinne von *erleben*. (Weitere Einzelheiten finden sich in W. Friederich, Die infiniten Formen des Englischen, Seite 56 und 201.)

586 *He*'s had two posts offered him and is not sure which to take.

Ihm wurden zwei Stellen angeboten, und er weiß nicht recht, welche er nehmen soll.

587 *I* had a most extraordinary thing happen to me.

Mir passierte etwas ganz Außerordentliches.

Diese beiden Beispiele zeigen die englische Konstruktion *have + Partizip* und *have + Infinitiv* im Vergleich zum Deutschen ganz deutlich. Satz 586 ließe sich natürlich auch gut übersetzen: *Er bekam zwei Stellen angeboten*, aber diese Lösung mit *bekommen* ist im Deutschen nicht oft möglich. Für die Beispiele dieser Gruppe B gilt, daß sie in beiden Richtungen – englisch/deutsch und deutsch/englisch – beherzigenswert sind. In beiden Richtungen bietet sich nämlich eine ungenaue Übersetzungsweise an, die man vermeiden sollte – in Satz 587 etwa *Etwas ganz Außerordentliches ist mir passiert*. Im englischen Text ist aber nicht von *etwas ganz Außerordentlichem* die Rede, sondern von *einer Person, die etwas erlebte*.

588 *I* had all my expenses paid by my father.

Mir wurden alle Auslagen von meinem Vater bezahlt.

Ganz ungenau wäre die deutsche Übersetzung: *Mein Vater bezahlte alle meine Auslagen.* Umgekehrt wäre aber auch *All my expenses were paid by my father* eine ungenaue Übersetzung des deutschen Satzes. Ebenso *Etwas ganz Außerordentliches ist mir passiert* (für 587). Oder *Zwei Stellen wurden ihm angeboten* (für den englischen Satz in 586) bzw. *Two posts have been offered him* (für den deutschen Satz in 586). Es ist eben nicht dasselbe, ob ich von einem Menschen spreche (und dem, was er angeboten bekommt) oder von zwei Stellen rede, die ausgeschrieben worden sind.

Weitere Beispiele hierzu:

589	*He* had his leg taken off.	*Ihm* wurde das Bein abgenommen.
590	In June 1688 *James II* had a son born to him.	Im Juni 1688 wurde *James II.* ein Sohn geboren.
591	*Boys* had Horace and Vergil beaten into them.	*Den Jungen* wurden Horaz und Vergil eingepaukt.
592	*I* had all my books stolen.	*Mir* wurden alle meine Bücher gestohlen.
593	He'll have it laid at his door, I'm afraid.	*Ihm* wird man's in die Schuhe schieben, fürchte ich.
594	*Vergil* has the creation of the world recited by a court minstrel.	*Bei Vergil* berichtet ein höfischer Sänger von der Schöpfung der Welt.
595	*Most modern philosophers* have had books written on them since 1962.	*Über die meisten modernen Philosophen* sind seit 1962 Bücher geschrieben worden.
596	*They* have winter staring them in the face.	*Ihnen* starrt der Winter ins Gesicht.
597	None of the judges realized that *they* had this sword of Damocles hanging over them.	Keinem der Richter wurde klar, daß *über ihnen* dieses Damoklesschwert hing.
598	*I* have several problems troubling me.	*Mich* beunruhigen mehrere Probleme.
599	*John* has a friend waiting to see him.	*Auf John* wartet ein Freund.
600	*I* have a lady coming to lunch.	*Zu mir* kommt eine Dame zum Mittagessen.
601	*Ihm* fehlen zwei Zähne.	*He* has two teeth missing.
602	*Einem Gelehrten* steht die ganze Welt offen.	*A scholar* has the whole world open to him.
603	*I* had my friend Robinson visit me recently.	*Mich* besuchte kürzlich mein Freund Robinson.

604	*You* are likely to have people steal from you if you do not lock the door.	*Dich* wird man wahrscheinlich mal bestehlen, wenn du die Tür nicht abschließt.
605	It's the same with children: when *a boy* has someone solve his problems for him, he has no chance to develop.	Mit Kindern ist es dasselbe: Wenn *einem Jungen* jemand alle Probleme löst, hat er keine Möglichkeit, sich zu entwickeln.

Wie die Beispiele zeigen, können die im Deutschen vorkommenden Objekte ebenso Akkusativ-, Dativ- oder Präpositionalobjekte sein.
Gelegentlich läßt sich ein im Deutschen an der Satzspitze stehendes Objekt einfach deswegen zum Subjekt umwandeln, weil das entsprechende englische Verb eine solche persönliche Konstruktion zuläßt:

606	*Ihm* fehlt der Mut dazu. (Vgl. hierzu Beispiel 490.)	*He* lacks the courage to do it.
607	*Mir* ist das Ende seiner Rede entgangen.	*I* lost the end of his speech.
608	*Ihm* fehlt das Durchstehvermögen für einen Langstreckenläufer.	*He* wants the stamina of a long-distance runner.
609	Glücklicherweise fehlt *ihm* die Macht, es zu tun.	Fortunately *he* wants the power to do it.

Hingewiesen sei hier noch einmal auf die schon erwähnte Tatsache, daß die Beispiele dieser Gruppe B sich so gut wie alle im Deutschen umwandeln lassen in einen Satz, der mit *es* beginnt: *Es* wurden ihm zwei Stellen angeboten (Satz 586); *Es* ist mir etwas ganz Außerordentliches passiert (Satz 587) usw. Die deutschen Sätze wären dann Beispiele für die in Kapitel XVII behandelte Wiedergabe des deutschen es (vgl. Satz 488–490).

C EINSCHUB EINER WENDUNG ODER EINES SATZES ZWISCHEN SUBJEKT UND PRÄDIKAT

610	Sir Anthony, by long experience and aptitude, is most likely to succeed.	Sir Anthony *wird* auf Grund seiner langjährigen Erfahrung und seiner Fähigkeit aller Voraussicht nach Erfolg haben.
611	This last semester, if it has done nothing else, has given me confidence in myself.	Dies letzte Semester *hat* mir, wenn es sonst (vielleicht auch) nichts bewirkt hat, Vertrauen zu mir selbst gegeben.

Diese Beispiele zeigen sehr schön, worum es in unserem Abschnitt geht. Im Englischen steht die präpositionale Wendung *(by long experience and aptitude)* unmittelbar nach dem Subjekt, im Deutschen dagegen muß erst das Verb erscheinen oder jedenfalls, wie Satz 611 zeigt, der konjugierte Teil des Prädikats. Immer wieder stößt man bei Übersetzungen ins Deutsche auf Formulierungen wie *Sir Anthony, durch eine lange Erfahrung* usw. oder *Dies letzte Semester, wenn es sonst nichts bewirkt hat, hat mir* usw. Daß der hier aufgezeigte Unterschied zwischen dem Deutschen und dem Englischen wieder für beide Übersetzungsrichtungen gilt, ist wohl offenkundig.

612	Such jargon, if it puts into few words what would otherwise require many, is obviously valuable.	Solche Fachsprache *ist,* wenn sie in wenigen Worten ausdrücken kann, was sonst viele erforderte, offensichtlich von großem Wert.
613	The word 'level', when used to indicate different styles of language, is a metaphor, suggesting higher or lower position and –.	Das Wort ‚Ebene' *ist,* wenn es zur Bezeichnung verschiedener Sprachstile verwendet wird, eine Metapher, die an höhere und niedrigere Stellung denken läßt und –.
614	This news, if it can be relied upon, is highly significant.	Diese Nachricht *ist,* wenn sie verläßlich ist, hochbedeutsam.
615	So many of us, despite our manifold advantages, have developed to an inordinate degree the capacity for being sorry for ourselves.	Deshalb *haben* viele von uns trotz unserer vielfachen Vorteile in ganz unmäßiger Weise die Fähigkeit entwickelt, sich selbst zu bemitleiden.
616	Mr. Johnson, at 67, not only holds the killing pace; he thrives on it.	Mr. Johnson *macht* mit 67 Jahren das mörderische Tempo nicht nur mit, es geht ihm gut dabei.
617	But our situation, geologists insist, is by no means hopeless.	Aber unsere Lage *ist,* wie die Geologen immer wieder (*oder* nachdrücklich) feststellen, keineswegs hoffnungslos.
618	But before the First World War, owing to the absence from Britain of malaria and ague, which are introduced by biting gnats, there was not the same danger.	Aber vor dem ersten Weltkrieg *bestand* dank des Ausbleibens von Malaria und Wechselfieber in England, die beide durch Mückenstiche verursacht werden, nicht dieselbe Gefahr.
619	A dictionary-maker, unless he is a monster of omniscience, must deal	Wer ein Wörterbuch schreibt, *muß,* wenn er nicht ein Monstrum von All-

with a great many matters of which he has no first-hand knowledge. | wissenheit ist, sehr viele Dinge behandeln, von denen er keine unmittelbare Kenntnis hat.

620 France, by right alike of her efforts and her losses, held the leading place. | Frankreich *hielt* auf Grund seiner Anstrengungen ebenso wie seiner Verluste die führende Stelle inne.

621 A style full of jargon, obscurities and inexactitudes, since it requires no thought, is easy to write – but it is not easy to read. | Ein Stil, bei dem es von Fachsprache, dunklen und ungenauen Stellen wimmelt, *läßt sich*, da man dabei nicht denken muß (*oder* er kein Denken erfordert), leicht schreiben – aber er läßt sich nicht leicht lesen.

XIX. Das Verhältnis von Aktiv und Passiv

Wie wir schon im vorigen Kapitel im Abschnitt B (Anfangsstellung des Objekts im Deutschen) gesehen haben, ist der englische Satz *He has been offered two posts* eine Entsprechung des deutschen Satzes *Ihm wurden zwei Stellen angeboten*. Im Deutschen könnte man aber auch sagen *Er bekam zwei Stellen angeboten* und

622 *Ihm* standen zwei Stellen offen. | *He* was offered two posts.

Das Englische muß, wie wir wissen, in vielen Fällen, wo das Deutsche das Subjekt am Ende eines Satzes placiert, dieses Subjekt nach vorne holen. Wenn aber der deutsche Satz mit etwas beginnt, das inhaltlich gut im Englischen Subjekt sein könnte – vornehmlich also Person oder Ding –, dann sollte man beim Übersetzen die Reihenfolge der Wörter lassen, wie sie im Deutschen ist, und das Objekt des deutschen Satzes zum Subjekt des englischen machen. Neben den in Kapitel XVIII B besprochenen Möglichkeiten mit dem Verb *have* gibt es ja als noch häufigere Möglichkeit die Umwandlung ins Passiv: *Ihm* stehen fünf Mark zu – *He* is allowed five marks.

623 Ihm stehen an Taschengeld fünf Mark in der Woche zu. | *He* is allowed five marks a week pocket money.

624 *Was* dieser Bericht vor allem verrät, ist die Tatsache, daß –. | *What* is revealed by this report more than anything else is the fact –.

625 *Ihm* schuldete die Gesellschaft noch einen gewissen Betrag. | *He* was owed some money by the company.

626 *Dem Außenminister* bereitete die Erklärung einiges Unbehagen. | *The Secretary of State* was caused certain anxiety by the declaration.

627 *Die gewerkschaftliche Zusammenarbeit* traf so ein schwerer Schlag.

Co-operation between the unions has been dealt a severe blow.

628 *Dem Offizier* leistete während der neun Stunden, die er im Wasser verbrachte, eine Schildkröte Gesellschaft.

The officer was kept company by a turtle during the nine hours he spent in the water.

629 *Diesen Speditionsunternehmen* steht für bestimmte Zwecke der Straßentransport frei.

These carriers will be permitted road travel for some purposes.

630 *Späteren Generationen* werden Krisen bei der Verwaltung der öffentlichen Anlagen vielleicht erspart bleiben.

Future generations may be spared crises in park management.

631 Noch heute fasziniert *uns* die universale Kultur des Mittelalters durch die wunderbare Einheitlichkeit und Korrespondenz aller ihrer Lebensäußerungen.

Even today *we* are still fascinated by the universal culture of the Middle Ages, its wonderful uniformity and the concord of all its expressions of life.

632 There are times, as I walk down those great streets (of New York), when *I* am suddenly terrified cosmically.

Es gibt Zeiten, da packt *mich,* wenn ich diese großartigen Straßen entlanggehe, ein kosmischer Schrecken.

633 Vor kaum 200 Jahren gelangte der Mensch an einen bedeutsamen Wendepunkt; –. *Diesen Wendepunkt* verdanken wir einem Gerät, das ...: der Dampfmaschine.

Not 200 years ago man made a significant step in his development, –. *This turning-point* was reached with the development of a device ... the steam engine.

634 *Den Weg hinauf* bezeichnet, durch Bäume und Büsche blickend, eine Straße kleiner Häuser, –.

The way up to it is marked by a street with little houses peering out between trees and bushes; –.

635 *Dem Zusammenbruch* der Sowjetrepublik im Jahre 1933 folgten dann der „Lange Marsch" von Süd- nach Nordwestchina und die Yenan-Periode innerer Sammlung.

The breakdown of this Soviet Republic in 1933 was followed by the "Long March" from southern to northwestern China and the Yenan period of clarification and concentration.

Die Anwendung des Prinzips der Passivumwandlung erlaubt nun nicht nur große Präzision im Verhältnis von Deutsch und Englisch und entspricht auch voll und ganz den Erfordernissen des Englischen, die in Kapitel VII (Abstrakt–Konkret) besprochen wurden, sondern es kommt noch ein weiterer Gesichtspunkt hinzu. Das Englische möchte nicht nur die Mehrzahl seiner Sätze in der Wortfolge Subjekt–Prädikat–Objekt (S–P–O) aufgebaut sehen, sondern es geht in der Einheitlichkeit der Formulierung sogar so weit, daß ihm die mehrfache Wiederholung des gleichen Subjekts lieber ist als jeglicher Wechsel. Das Deutsche hingegen lebt geradezu vom Wechsel schlechthin und nicht zuletzt vom Wechsel der Subjekte.

636	*Es* muß ihn schrecklich enttäuscht haben, daß *man* ihm mitteilte, *er* sei dort nicht erwünscht.	*He* must have been terribly disappointed to be told *he* wasn't wanted.

Im deutschen Satz haben wir drei verschiedene Subjekte, im Englischen dagegen nur eines *(he)*, das dreimal gemeint und zweimal ausgedrückt ist. Der Infinitiv *to be told* enthält ja auch das logische Subjekt *he*.

637	Auf der Cocktailparty schenkte *man* dem berühmten Professor gar keine Beachtung, aber um seine entzükkende junge Frau wurde, kaum daß sie *jemand* den Gästen vorgestellt hatte, *ein großes Theater* gemacht.	At the cocktail party *the famous professor* was taken no notice of, but *his lovely young wife* was made a fuss of from the moment *she* was introduced to the guests.
638	Natürlich erwartet *man*, daß *du* dich für die Arbeit, die *man* dir angeboten hat, auch interessierst.	Naturally *you* are expected to be interested in the job *you* have been offered.
639	*Man* kann doch eine Orange nicht essen, wenn *niemand* sie geschält hat.	*An orange* cannot be eaten if *it* hasn't been peeled.
640	*Niemand* hat mich bisher für einen Engländer gehalten, wenn mich auch mal *jemand* angesprochen hat, als ob *ich* ein Amerikaner wäre.	*I* have never been taken for an Englishman before, though *I* was once spoken to as if *I* were an American.
641	Als *ich* klein war, bekam *ich* immer wieder aus einem Märchenbuch vorgelesen, das mir *jemand* zum Geburtstag geschenkt hatte.	When *I* was a child, *I* used to be read to out of a book of fairy tales *I* had been given for my birthday.
642	Mit der Aufstellung dieser Bedingungen vollzog *die KP* eine entscheidende Wendung. Von der Kuomintang wurde *völlige Unterwerfung und Ausschaltung* der gesamten bisherigen Führung verlangt.	Establishing these conditions, *the Communist Party* made a decisive turn, demanding from the Kuomintang complete surrender and elimination of all leaders up to then in power.

643	Am Anfang dieses langen Weges stand *eines* der großartigsten „Werkzeuge“, das *die Natur* jemals ersann: die menschliche Hand.	At the beginning of this long development was *one* of the finest 'tools' ever conceived by Nature – the human hand.
644	Clive went back to India, and was met by terrible news.	*Clive* kehrte nach Indien zurück; dort ereilte ihn *eine schlechte Nachricht* (*oder* wo ihn ...).
645	*He* hurried to the child's room, but was prevented from entering by his brother.	*Er* ging eilends in das Zimmer des Kindes, doch *sein Bruder* hinderte ihn am Eintreten.
646	*The old aunt* was recorded in the family Bible as having had the chicken pox.	Von der alten Tante hieß *es* in der Familienbibel, daß *sie* die Windpokken hatte.

Zum Abschluß dieses Kapitels sei noch erwähnt, daß das Passiv auch zur Wiedergabe deutscher reflexiver Verben dienen kann, besonders gern in der Verbindung mit *lassen* (Satz 653–659).

647	Die Konferenz hat nicht stattgefunden, aber der Streit der Ämter *spiegelte sich* in der Presse wider.	The conference never took place, but the controversy of the officials *was reflected* in the press.
648	Die Schule *hat sich* mehrmals *erweitert.*	The school *has been added to* several times.
649	Der Schirm *wird sich* schon *wieder finden.*	I am sure the umbrella *will be found* again.
650	Der Fehler *hat sich gefunden.*	The mistake *has been found.*
651	Ihm sagte man, für ihn *würde sich* Arbeit in einer anderen Abteilung *finden.*	He was told that he *would be found* work in another department.
652	Wieder einmal *bietet sich* dem Westen eine neue Konferenz über Europa.	Once again the west *is offered* a new conference on Europe.
653	Er *ließ sich* leicht *überreden.*	He *was* easily *persuaded.*
654	Er *ließ sich* nicht *vertreiben.*	He *would* not *be driven away.*
655	Derartiges Bier *läßt sich* außerhalb Deutschlands nicht *auftreiben.*	Beer like that *is* not *to be had* outside of Germany.
656	Es *läßt sich* nicht *bezweifeln,* daß die Antwort unrichtig ist.	It *is* not *to be doubted* that the answer is incorrect.
657	Was *läßt sich noch tun?*	What *remains to be done?*

658	Sie *läßt sich nicht gern anstarren.*	She *hates being stared at.*
659	Ohne Aufopferung *läßt sich* keine Freundschaft *denken.*	Friendship without self-sacrifice *is* not *to be thought of.*

XX. Wiedergabe des deutschen ‚man' durch das Passiv

Im Deutschen ist das Indefinitpronomen *man* eine häufige Erscheinung. Im Englischen entspricht ihm *one,* ist aber dort viel seltener. Für deutsches *man* findet sich bekanntlich auch *you, we, people* oder ein bestimmtes Subjekt, das sich aus dem Text ergibt.

Hierfür einige Beispiele:

660	*Man* konnte die Dinge drehen und wenden wie *man* wollte, er hatte die Nerven ganz einfach verloren.	Twist and turn the thing whatever way *you* like, the fact remained that his nerves had simply given out.
661	*Man* kann einem jungen Menschen keine größere Wohltat erweisen, als wenn *man* ihn zeitig in die Bestimmung seines Lebens einweiht.	*You* can't do a young fellow a better turn than by bringing him into his work early.
662	*Man* erfuhr erst nachher, was geschehen war.	*We* afterwards learned what had happened.
663	Wenn Sie im Besitz einer Persönlichkeit sind, können Sie im übrigen ein Trottel sein, das merkt *man* dann nicht so.	If you are in possession of personality, you can be an imbecile in other respects, and *people* don't even notice it so much.
664	Dann sprach *man* viel von Kaffeehäusern und Weingärten.	*They* spoke, too, a great deal about different coffee-houses and refreshment-gardens.
665	Was hat *man* von dem Neide seiner Mitgenossen, von der Parteilichkeit des Direktors auszustehen? Wahrhaftig, *man* muß ein Fell haben wie ein Bär.	What hasn't *an actor* to suffer from his comrades' envy, the manager's partiality ...? *He* ought to have a skin like one of those bears.
666	*Man* hat sich mit einer Darlegung des englischen Standpunktes – begnügt.	*Official sources* have contented themselves with an explanation of the British standpoint –.
667	Von dem Ausgangspunkt, daß der christliche Glaube eine Kraft oder ein	On the premise that the Christian faith is a force, or an emotionaliza-

Ergriffensein bedeute, das alle Lebensverhältnisse durchdringe, gelangt *man* auf evangelischer Seite zu einer sehr weitherzigen Umschreibung weltanschaulicher Möglichkeiten. — tion, which permeates all phases of life, *the Protestants* arrived at a very far-reaching circumscription of the possibilities for worldly creeds.

Die wichtigste Wiedergabemöglichkeit für deutsches *man* ist aber doch wohl die Umwandlung des deutschen Satzes ins Passiv (vgl. hierzu das vorige Kapitel). Wie die Beispiele 676–683 zeigen, ist die Bezeichnung *man – Passiv* aber nicht nur in der deutsch-englischen, sondern auch in der englisch-deutschen Übersetzung zu beachten.

668 *Man verspricht* uns höhere Löhne. — *We are promised* higher wages.

669 *Man hat* mir einen anderen Arzt *empfohlen.* — *I was recommended* another doctor.

670 *Man wird* uns allen mehrere Fragen *stellen.* — *We shall* all *be asked* several questions.

671 In der ganzen Welt *spricht man* Englisch. — *English is spoken* all over the world.

672 *Man sollte* über so etwas nicht in der Öffentlichkeit *sprechen.* — *Such things ought* not *to be spoken about* in public.

673 *Man hat* Richard Strauß stets als Universalgenie *bezeichnet*, –. — *Richard Strauss has* always *been considered* a universal genius, –.

674 *Man wurde sich* zum mindesten darüber *einig*, daß gemeinsamer christlicher Glaube seinen Bekennern innerhalb bestimmter Grenzen doch verschiedene politische Weltanschauungen gestattete. — *Agreement was reached* at least on the fact that, within certain limits, a common Christian faith permits its adherents various political creeds.

675 Die Stadt in ihrer Lage und mit ihrer ganzen Umgebung hat, man darf sagen, etwas Ideales, das *man sich* erst recht *deutlich machen kann*, wenn man mit der Landschaftsmalerei bekannt ist, –. — The town with its setting and its whole surroundings has, one may say, something of the ideal about it, *which can be* clearly *appreciated* only if one is familiar with landscape painting, –.

Hierher gehören auch drei Beispiele des vorigen Kapitels, nämlich die Sätze 636, 637, 638. Englisch-deutsche Beispiele:

676 Scrooge then remembered to have heard that *ghosts* in haunted houses *were described* as dragging chains. — Scrooge entsann sich nun gehört zu haben, daß *man* von Geistern in Spukhäusern *erzählte*, sie schleppten Ketten hinter sich her.

677 – *all these have been discovered* to mean much less than they appeared to.

– bei allen *hat man herausgefunden,* daß sie viel weniger besagen, als sie zu bedeuten schienen.

678 In a thousand Spanish towns and villages *the story of the Passion is remembered* in processions and dramas which go on from down to dawn, for six days.

In tausend spanischen Städten und Dörfern *gedenkt man* der Leidensgeschichte in Prozessionen und Aufführungen, die von Sonnenuntergang bis zur Morgendämmerung dauern, ganze sechs Tage.

679 *So was the battle joined* until finally a sort of permanent triangular stalemate was achieved, the men of science and the men of letters assailing not only Professor Bury, but also one another.

Man schlug also los, bis schließlich ein Zustand anhaltender gegenseitiger Blockierung auf drei Seiten erreicht war, indem die Naturwissenschaftler und die Literaten nicht nur Professor Bury attackierten, sondern sich auch noch gegenseitig.

680 This means that *the question* of whether the future of western Europe should be based on a community embracing both shores of the Atlantic – as President Johnson would wish – or on an area "from the Atlantic to the Urals", *has been left* where it was.

Das bedeutet, *man hat* die Frage, ob Westeuropas Zukunft auf einer beide Atlantikküsten umfassenden Gemeinschaft – wie Präsident Johnson es wünscht – oder auf einem Gebiet „vom Atlantik bis zum Ural" beruhen soll, dort *belassen,* wo sie ist.

681 *It will not easily be imagined* how much Shakespeare excels in accommodating his sentiments to real life, but by comparing him with other authors.

Man kann sich nicht leicht vorstellen, wie (sehr) Shakespeare darin überlegen ist, wie er seine Empfindungen mit dem wahren Leben in Einklang bringt, es sei denn man vergleicht ihn mit anderen Dichtern.

682 We made the final arrangements for what *it is hoped* will prove a successful demonstration.

Wir trafen die letzten Vorbereitungen für eine Demonstration, die, *wie man hoffte,* erfolgreich sein würde.

683 In these negotiations, which *it is hoped* will play a valuable part in strengthening Western defence, effective steps will be taken to safeguard the interests of the inhabitants.

Bei diesen Verhandlungen, die, *wie man hofft,* bei der Stärkung der westlichen Verteidigung eine wertvolle Rolle spielen, werden wirksame Maßnahmen ergriffen werden, um die Interessen der Einwohner zu schützen.

Ein weiteres sehr schönes Beispiel findet sich in Kapitel X in dem Satz über *Schlangen als Haustiere* (Satz 342).

XXI. Mit ‚what' eingeleitete Nebensätze

Im Englischen gelten Nebensätze, die mit *what* eingeleitet werden, eigentlich nicht als schwierig. Und übersetzungstechnisch scheinen sie auch keine Schwierigkeiten zu bieten:

684	She had found *what* we had lost.	Sie hatte *(das), was* wir verloren hatten, gefunden.
685	She never pretended to be *what* she wasn't.	Sie wollte nie *etwas* darstellen, *was* sie gar nicht war.

What ist hier gleich *that which*, und der englische Satzaufbau stimmt mit dem deutschen überein. Hierzu noch einige weniger einfache Beispiele:

686	The Conservative Party will have to atone for *what* it has done or failed to do for the immigrants and the people amongst whom they live.	Die Konservative Partei wird für *das, was* sie für die Einwanderer und die Leute, unter denen sie leben, getan oder zu tun versäumt hat, büßen müssen.
687	Lord Tarbat wants to let *what* remains of his 20.000 acre estate in Ross-shire, including the 400-year-old Castle Leod, his residence at Strathpeffer, to anyone who will pay for the upkeep and also pay a modest rent.	Lord Tarbat möchte *das, was* von seinem 20,000 Acre umfassenden Besitz in Ross-shire übrig ist, verpachten, einschließlich des 400 Jahre alten Schlosses Castle Leod, seines Wohnsitzes in Strathpeffer, und zwar an jeden, der für die Erhaltung aufkommen und eine bescheidene Rente zahlen will.
688	He was afraid of *what* would happen to the English people.	Er fürchtete sich vor *dem, was* den Engländern widerfahren würde (*oder* vor dem möglichen Geschick der Engländer).
689	We had done *what* seemed to our instinct best, not probing into the why.	Wir hatten getan, *was* uns gefühlsmäßig am besten erschien, ohne weiter nach dem Warum zu fragen.

690	He shows a discerning relish for *what is most original* in his subjects.	Mit Scharfsinn und ein wenig Feinschmeckerei findet er bei allen von ihm behandelten Personen *das Ursprünglichste und Originellste.*
691	There never was a war more easy to stop than that which has just wrecked *what was left* of the world from the previous struggle.	Nie hat es einen leichter zu verhindernden Krieg gegeben als den, der soeben *die Überreste* des vorigen Kampfes zertrümmert hat.

Sehen wir uns aber jetzt die folgenden Beispiele an:

a) Scaife pointed out *what* appeared to be three long, narrow wardrobes.

b) The first phase has been completed at Tanfield Lea of *what* will eventually be the biggest dry-battery manufacturing complex in Europe.

c) *What* are called "Public Schools" are not owned by the State.

Die Grammatiken bringen solche Beispiele zusammen mit denen vom Typus der Sätze 686–691, und die Sätze a–c sind ja auch ähnlich. Sobald es aber ans Übersetzen geht, sieht man den Unterschied. Mit *das, was* oder *was* ist hier kaum etwas zu machen. Der syntaktische Unterschied zwischen den beiden Satzmodellen ist dieser: bei den Sätzen a–c ist der *what*-Komplex rein attributiv, in den Sätzen 686–691 ist er es nicht.

Das ist leicht festzustellen, denn bei den Sätzen a–c kann man die *what*-Gruppe weglassen:

a1) Scaife pointed out three long, narrow wardrobes.

b1) The first phase has been completed at Tanfield Lea of the biggest dry-battery manufacturing complex in Europe.

c1) The Public Schools are not owned by the State.

Ähnliche Auslassungen bei den Sätzen 686–691 sind nicht möglich: *She had found – lost / He shows a discerning relish for – original* usw. Satz 688 ist hier besonders instruktiv, denn hier könnte man etwas weglassen: *He was afraid of – the English people.* Aber nun ergibt sich ein ganz anderer Sinn, während bei den Sätzen a1–c1 im Vergleich zu a–c der Sinn ja gerade völlig erhalten bleibt.

Übersetzungstechnisch lassen sich diese attributiven *what*-Komplexe nun am besten so wiedergeben, daß man aus dem in dem *what*-Komplex enthaltenen Substantiv (das, wie wir gesehen haben, auch allein stehen könnte) ein Substantiv begrifflich herauslöst, wobei man in der Regel auf ein allgemeines Wort, einen Oberbegriff zurückgreifen wird. In Satz 692 ist aus *wardrobe* der Oberbegriff *Gegenstände,* in Satz 693 aus *manufacturing complex* der Oberbegriff *Werk* und in Satz 694 aus *Public School* der Oberbegriff *Schule* herausgenommen:

692	Scaife pointed out *what* appeared to be three long, narrow wardrobes.	Scaife zeigte auf *Gegenstände,* die drei hohe, schmale Kleiderschränke zu sein schienen.
693	The first phase has been completed at Tanfield Lea of *what* will eventually be the biggest dry-battery manufacturing complex in Europe.	In Tanfield Lea wurde der erste Abschnitt eines *Werkes* fertiggestellt, das schließlich die größte Trockenbatterie-Produktionsstätte Europas sein wird.
694	*What* are called "Public Schools" are not owned by the State.	*Die Schulen,* die als „Public Schools" bezeichnet werden, sind nicht im Besitz des Staates.

Weitere Beispiele, bei denen nach genau dem gleichen Prinzip verfahren wurde:

695	Queen Victoria visited the island of Staffa in 1847, and it must have been *what* Victorians used to call "Queen's Weather".	Die Königin Viktoria besuchte die Insel Staffa im Jahre 1847, und es muß ein *Wetter* gewesen sein, wie es die Leute jener viktorianischen Zeit als „Königswetter" zu bezeichnen pflegten.
696	The childhood days –, the Brussels period –: Mrs. Gérin writes of all this with unflagging interest in *what* should now rank as the standard biography (of Ch. Bronte).	Die Tage der Kindheit –, die Brüsseler Zeit –: Mrs. Gérin schreibt über all das mit nie erlahmendem Interesse in ihrer *Biographie,* die jetzt als Standardwerk gelten dürfte.
697	The athletes will be competing in *what* is likely to be the major event at a sponsored meeting at the Crystal Palace National Recreation Centre track.	Die Sportler werden gegeneinander in einem *Wettkampf* antreten, der wahrscheinlich der wichtigste Kampf bei einem Sportfest auf der Kristallpalastbahn des Staatlichen Erholungszentrums ist.
698	They acted on *what* they conceived to be their moral duties to their allies.	Sie handelten nach den *Grundsätzen,* die sie als ihre moralische Pflicht gegenüber ihren Verbündeten ansahen.

Zweimal *dasselbe* Substantiv schien die beste Lösung in folgenden Beispielen zu sein:

699	The British Standards Institution on July 4 took a major step towards this target (:standardizing basic build-	Das Britische Normen-Amt leistete einen wesentlichen Beitrag zur Erreichung dieses Zieles dadurch, daß es

ing dimensions) by publishing *what* it described as "The most important British standard ever issued for the construction industry".

am 4. Juli eine *Norm* veröffentlichte, die es als „die für die Bauindustrie bisher wichtigste britische Norm" bezeichnete.

700 Work has started in Britain on *what* it is believed will be the first sports stadium in the world designed specifically for partially paralysed and other physically handicapped competitors.

In England haben die Arbeiten an einem *Sportstadion* begonnen, das, wie man annimmt, das erste in der Welt für teilgelähmte und sonstige körperbehinderte Wettkampfteilnehmer entworfene Stadion ist.

701 Ford of Britain has unveiled *what* it describes as "one of the fastest and most futuristic Grand Touring cars ever created."

Die britische Ford-Gesellschaft hat einen großen *Touring-Wagen* enthüllt, den sie als „einen der schnellsten und futuristischsten Touring-Wagen, die je geschaffen wurden", bezeichnet.

Nicht selten erscheint es ausreichend, das betreffende Substantiv nur einmal zu bringen, wie in den folgenden Sätzen:

702 In *what* may be called the politico-ecclesiastical sphere this is obviously justified.

In dem *Bereich,* den man den politisch-kirchlichen nennen könnte, ist das offensichtlich gerechtfertigt.

703 We made the final arrangements for *what* it is hoped will prove a successful demonstration.

Wir trafen die letzten Vorbereitungen für eine *Demonstration,* die, wie man hoffte, erfolgreich sein würde.

704 The British Coal Board has announced plans for setting up *what* is expected to be the biggest computer utility in Europe.

Das Britische Kohlenamt hat Pläne für die Errichtung einer *Computeranlage* angekündigt, die voraussichtlich die größte Europas sein wird.

705 *What* is claimed to be the world's biggest book has started rolling off the presses of the British printers, Balding & Mansell, of Wisbech in southern England.

Ein Buch, das das größte der Welt sein soll, kommt jetzt von den Druckerpressen der britischen Druckerei B. & M. in Wisbech, Südengland.

706 Failure to live up to *what* we represent to be our most serious convictions.

Das Unvermögen, den *Überzeugungen* in unserem Leben gerecht zu werden, die wir als unsere ernsthaftesten hinstellen (*oder* die uns, so wie wir es darstellen, die heiligsten sind).

707 Ryde possesses *what* is surely one of the longest piers in England. — Ryde besitzt ein *Pier,* das sicherlich zu den allerlängsten in England zählt.

Natürlich sind auch freiere Übersetzungen denkbar. Aber das freie Übersetzen birgt immer die mehr oder weniger große Gefahr der Ungenauigkeit in sich. Man sollte wenigstens genau wissen, wie die exakte Übersetzung eigentlich heißen müßte, bevor man sich an freiere Lösungen macht, denn nur die exakte Übersetzung garantiert die semantisch richtige Wiedergabe des Originals. Beispiel für eine freiere Wiedergabe könnte der folgende etwas schwierigere Satz sein:

708 Professor Freudenthal is the designer of LINCOS, a language for cosmical communication aimed at possible beings of superior intelligence in outer space; in this book he shows himself able to make *what* may be more fruitful contact with minds of lesser attainment on his home planet, to let them see how logic has progressed far onwards from the aristotelian syllogism, after a century of mathematical effort. — Professor Freudenthal hat LINCOS entworfen, eine Sprache für kosmische Kommunikation, die für potentielle Wesen höherer Intelligenz im Weltraum gedacht ist. Im vorliegenden Buch zeigt er seine Befähigung, mit weniger fortgeschrittenen Geistern auf seinem Heimatplaneten einen vielleicht nützlicheren Kontakt herzustellen, um ihnen zu zeigen, wie weit die Logik seit dem aristotelischen Syllogismus nach einem Jahrhundert mathematischer Bemühungen fortgeschritten ist.

Es gibt nun noch einen weiteren Satztypus mit *what,* der ebenfalls übersetzungstechnisch interessant ist, der nämlich, bei dem *what* unmittelbar vor einem Substantiv erscheint:

709 This broke down *what* resistance remained. — Das vernichtete dann alles, was an Widerstand noch übrig sein mochte (*oder* etwa noch übrig war).

Diese *what*-Fügungen haben einen leicht konzessiven Sinn, was sich im Deutschen manchmal wiedergeben läßt. Hierzu noch einige Beispiele:

710 Now I said *what* words of comfort I could. — Nun sagte ich, was immer ich an Trostworten finden konnte.

711 These destitute children had no food but *what* scraps they could scrounge. — Diese armseligen Kinder hatten keinerlei Nahrung außer dem bißchen, das sie sich an Abfällen zusammenklauen konnten.

712 The idea that a man should pick and choose for himself *what* doctrines he should adhere to was alien to the mind of the age.

Die Vorstellung, daß ein Mensch sich selbst aussuchen sollte, welchen Lehren er zu folgen gedachte, lag dem damaligen Zeitgeist fern.

713 The Act is often blamed for the rise in wages. *What* little effect it had has been indirect.

Das Gesetz wird oft für den Lohnanstieg verantwortlich gemacht. Was immer es an geringer Wirkung gehabt haben mag, war jedenfalls nur indirekt.

XXII. ‚The fact' als Überleitung zu ‚that-clauses'

Wenn wir die deutschen *daß*-Sätze mit den englischen *that*-clauses vergleichen, sehen wir erst einmal, daß das Englische in vielen Fällen eine andere Konstruktion bevorzugt: Infinitiv oder Gerundium. Damit mag es dann zusammenhängen, daß wir im Deutschen eine größere Freizügigkeit in der Verwendung der *daß*-Sätze finden. Sie lassen sich mit anderen Satzteilen in vielerlei Weise verknüpfen, während das Englische hier weniger frei schalten kann. In bestimmten Fällen muß *the fact* (und manchmal ein Synonym) als Übergangswort dienen. Bei der deutsch-englischen Übersetzung ist das einfach eine Notwendigkeit, aber auch für die englisch-deutsche Übersetzung ist dieser Hinweis von Wert, weil sich so manche „Tatsache" nun aus einem deutschen Satz beseitigen läßt – das Deutsche benötigt sie nicht.

Häufig findet sich dieser Fall der Überleitung durch *the fact,* wenn im Deutschen die Adverbien *darin, darauf* u. ä. auftreten:

714 – aber sie hat ihre Ganzheit nicht in und aus sich selber, sondern *darin, daß* sie „Schöpfung" ist.

– but its unity and wholeness exists not within and without itself, but *in the fact that* it is "creation".

715 Die Herrschaft des Menschen über die Welt hat *darin* ihren Sinn, *daß* der Mensch für die Ganzheit der Welt verantwortlich ist.

Man's sovereignty over the world has its significance *in the fact that* man is responsible for the wholeness of the world.

716 Die wahre Bedeutung der Sowjet-Periode liegt *darin, daß* eine nach leninistischem Rezept organisierte kommunistische Partei sich auch ohne Verbindung mit dem städtischen Proletariat als existenzfähig erwies.

The main importance of the Soviet period lies *in the fact that* a Communist party modelled on the Leninist pattern proved fit for survival without any connection with the city proletariat.

717	The human tragedy reaches its climax *in the fact that* after all the exertions of millions of people and the victories of the Righteous Cause we have still not found Peace or Security.	Die Tragödie der Menschheit erreicht ihren Gipfelpunkt *darin, daß* wir nach all den Anstrengungen und Opfern von Millionen von Menschen und den Siegen der Gerechten Sache noch immer nicht Frieden und Sicherheit gefunden haben.
718	Der Grund des Mißlingens liegt *darin, daß* die Anordnungen nicht genau beachtet wurden.	The reason for the failure lies *in the fact that* the instructions were not properly carried out.
719	Die eigentliche Differenz lag *darin, daß* die amerikanischen Staatsmänner über Englands Haltung zu dem Plan eines Südostasienpaktes tief enttäuscht waren.	The real difference lay *in the fact that* American statesmen were deeply disappointed about Britain's attitude to the plan of a South-East Asia pact.
720	Sie müssen Rücksicht *darauf* nehmen, *daß* er nicht mehr jung ist.	You must take into consideration *the fact* that he is no longer young.
721	Wer trägt die Schuld *daran,* daß in Indochina nicht zur Rettung Dien Bien Phus interveniert worden ist?	To whom does the guilt attach *for the fact that* there was no intervention in Indo-China to save Dien Bien Phu?
722	Es ist die Größe und Verheißung der neuzeitlichen Wissenschaft, *daß* sie wenigstens in ihren Anfängen sich gegen solche Grenzüberschreitungen kritisch verhalten hat.	The greatness and promise of modern science lies in *the fact that,* at least at its beginnings, it adopted a critical attitude towards such transcursions.

Beim letzten Beispiel ließe sich der deutsche Satzanfang so denken: *Die Größe und Verheißung der neuzeitlichen Wissenschaft liegt darin, daß –.*
Es gibt im Englischen Verben, die ein direktes Objekt, aber keinen *daß*-Satz (*that*-clause) nach sich zulassen. Auch hier läßt sich dann eine *that*-clause nur mit Hilfe von *the fact* anschließen:

723	Aber *übersehen* Sie nicht, *daß* für die erfolgreiche Abwehr feindlicher Angriffe in erster Linie die moralische Haltung einer Truppe ausschlaggebend ist.	But you must not *overlook the fact* that a successful repulse of enemy assaults depends primarily on the morale of the troops.
724	Jede „christliche" Ideologie *übersieht, daß* das Christentum als geschicht-	Every "Christian" ideology *overlooks the fact that* Christianity, as

liche Erscheinung sich vom eigentlich „Christlichen“ genau so unterscheidet, wie das „Werk“, d. h. das selbständige Tun des Menschen in der Welt, unterschieden ist vom Glauben, d. h. vom Sich-abhängig-Wissen von Gott.

an historical phenomenon, is just as much at variance with the truly "Christian" as "works", that is to say, the independent deeds of man in the world, differ from "faith" that is, the knowledge of man's dependence on God.

725 Die Kommunistische Internationale, die KP Chinas und Mao selbst haben in den folgenden Jahren viel Mühe darauf verwandt *zu verschleiern, daß* schon diese und erst recht verschiedene spätere Erfahrungen der chinesischen Partei die kommunistische These vom „naturnotwendigen und organischen Zusammenhang zwischen kommunistischer Partei und Arbeiterklasse“ ernstlich erschüttert haben.

The Communist International, the Chinese Communist Party and Mao himself have taken great pains in subsequent years *to disguise the fact that* this as well as certain later experience of the Chinese Party have seriously shaken the Communist thesis of the "inevitable natural and organic interrelation between the Communist Party and the working class."

726 Es läßt sich nicht *verheimlichen, daß* er unehrlich ist.

There is no *disguising the fact that* he is dishonest.

Ein anderer Fall, bei dem *the fact* ein gutes Hilfsmittel ist, ist der Satztypus, der mit *Daß* eingeleitet wird:

727 *Daß* die Sowjetrepublik dann im Jahre 1934 doch von Tschiang zerschlagen wurde, schrieb Mao später einer verfehlten Führung des militärischen Kampfes zu.

The fact that the Soviet Republic was finally destroyed by Chiang in 1934 was later attributed by Mao to a wrong conduct of the military struggle.

728 *Daß* sie es nicht tun dürfen, wird sie keineswegs daran hindern.

The fact that they are not allowed to do it will in no way stop them.

729 *Daß* Eis leichter als Wasser ist, ist die einfache Erklärung des Phänomens.

The fact that ice is lighter than water is the simple explanation of the phenomenon.

730 *Daß* die Verfasser der Beiträge nicht alle eines Sinnes sind, erhellt allein schon aus dem Autorenverzeichnis.

The fact that the contributors are not all of one mind is clear from the mere list of names.

Ein Anschluß von *that*-clauses an Substantive ist auch keine Selbstverständlichkeit im Englischen, weshalb wir Beispiele finden wie diese:

731 In keinem der Dokumente aus jener Periode fehlt indessen die ausdrückliche Erwähnung, *daß* die Kommunisten sich jederzeit vorbehalten, den Zeitpunkt zu bestimmen, an dem sie es im Interesse der von ihnen repräsentierten Klasse oder Klassen für richtig halten, die Zusammenarbeit mit Nichtkommunisten abzubrechen.

No document of that period fails to make explicit mention *of the fact that* the Communists at any time reserve the right to determine the date when they deem it right and proper to break off co-operation with non-Communists in the interest of the class or classes represented by them.

732 Diese Sätze sind vielfach als ausreichender Beweis angesehen worden, *daß* es niemals zu einem ernsten Konflikt zwischen Peking und Moskau kommen könne.

These sentences have frequently been considered sufficient proof *of the opinion that* a serious conflict between Peking and Moscow will never arise.

733 Seine Rede enthielt die Erklärung, *daß* er persönlich die Entsendung von Truppen nach Indochina für richtig halte.

His speech contained a declaration *to the effect that* he, personally, considered it the proper thing to do to send troops to Indo-China.

XXIII. Englische Konzessiv- und Adversativsätze

Unter Konzessivsätzen verstehen wir Nebensätze, die mit der Konjunktion *though (although)* eingeleitet werden, unter Adversativsätzen solche mit der Konjunktion *while*. Die offensichtlichen Entsprechungen dieser Konjunktionen im Deutschen sind *obgleich (obwohl, obschon)* und *während*. Bei näherem Vergleich englischer und deutscher Konzessiv- und Adversativsätze zeigt sich jedoch, daß viele englische Sätze, wörtlich ins Deutsche übertragen, merkwürdig fremdartig klingen. Wandelt man dagegen die deutschen Sätze so um, daß statt der Nebensätze mit *obwohl* oder *während* ein Hauptsatz mit *zwar (– aber)* erscheint, klingen sie sehr natürlich, ja gekonnt. Es ist daher empfehlenswert, bei der Wiedergabe dieser englischen Sätze auch immer eine Lösung mit *zwar* zu versuchen.

734 *Though* he is poor, he is an honest man.

Er ist *zwar* arm, *aber* ehrlich.

735 *Though* no prodigy, he was brilliantly intelligent.

Er war *zwar* kein Wunderkind, *aber* außerordentlich intelligent.

736 *Although* its true nature remains obscure, we know for sure what dental decay is not.

Das wahre Wesen der Karies bleibt *zwar* noch in Dunkel gehüllt, *aber* wir wissen jetzt ganz sicher, was sie nicht ist.

737	*Though* taking modest pride in its record of achievement, the report does not fail to stress the debit side of the ledger – the comparatively large increase in cancer deaths, for instance.	Der Bericht verrät *zwar* einen gewissen Stolz über die verzeichneten Erfolge, versäumt es *aber* nicht, die Kehrseite der Medaille hervorzuheben – die verhältnismäßig große Zunahme bei Krebstodesfällen, zum Beispiel.
738	After this he will need a dictionary with a larger vocabulary for reading purposes, *though* for writing English he will continue to find this volume useful.	Danach wird er *zwar* ein Wörterbuch mit umfangreicherem Wortschatz für Lesezwecke benötigen, für Zwecke des Schreibens *aber* vorliegenden Band weiterhin brauchbar finden.
739	In 1949, however, *while* the general trend of the health graph is upward, two epidemics, one influenza, the other poliomyelitis, rather spoilt the picture.	1949 jedoch hatte die allgemeine Gesundheitskurve *zwar* steigende Tendenz, zwei Epidemien, einmal Grippe und dann Kinderlähmung, störten das Bild *jedoch* recht erheblich.
740	*While* medical science is increasingly able to lessen the ill consequences of these virus epidemics, not till their nature and mode of spread has been completely established can we hope to see them checked effectively.	Die medizinische Wissenschaft ist *zwar* in zunehmendem Maße in der Lage, die schlimmen Folgen dieser Virusepidemien zu mildern, *doch* können wir erst, wenn ihr Wesen und ihre Verbreitungsart völlig sicher geklärt sind, hoffen, sie wirksam eingedämmt zu sehen.
741	*While* accepting the fact that the Royal Family must keep out of domestic political strife in their political attitudes and utterances, does this convention also apply to the whole field of Prince Philip's public activities?	Man kann *zwar* die Tatsache anerkennen (*oder* Die Tatsache sei *zwar* anerkannt), daß die königliche Familie sich in ihrer Stellungnahme und in ihren Äußerungen aus den innenpolitischen Streitigkeiten heraushalten muß, *aber* gilt diese konventionelle Regelung auch für Prinz Philipps gesamte öffentliche Tätigkeit?
742	*While* man is undoubtedly always on the lookout against the attacks of unseen powers, and takes special precautions at critical seasons of the year or at crises in his own life, in	Der Mensch ist *zwar* ohne Zweifel ständig auf der Hut vor Angriffen unsichtbarer Mächte und ergreift in kritischen Zeiten des Jahres oder bei den Krisen in seinem eigenen Leben

fact the majority of spirits are thought of as neither good nor evil.	besondere Vorsichtsmaßregeln, *aber* die Mehrzahl der Geister gilt trotzdem als weder gut noch böse.
743 *While* every country in the world has slums, many much worse than in Britain, our problem of urban smoke pollution must be second to none.	Jedes Land in der Welt hat *zwar* Slums, von denen viele bedeutend schlimmer sind als die in England, *aber* unser Problem der Verunreinigung der Stadtluft durch Rauch ist nirgendwo so schlimm.

Ein weiteres gutes Beispiel findet sich noch in Satz 405.

XXIV. Nebensätze ersten und zweiten Grades

Ein Nebensatz, der einem Hauptsatz untergeordnet ist, ist ein Nebensatz ersten Grades (wie zum Beispiel der hier enthaltene Relativsatz). Wenn aber, damit logische Verhältnisse klar ausgedrückt werden, in einen Nebensatz ein anderer hineingestellt (und ihm damit untergeordnet) wird, dann haben wir einen Nebensatz ersten und zweiten Grades (wie zum Beispiel hier den *Wenn*-Satz und den *Damit*-Satz).
In Kapitel XVIII C (Einschub einer Wendung oder eines Satzes zwischen Subjekt und Prädikat) hatten wir schon gesehen, daß es bei derartigen Einschüben Unterschiede im Englischen und Deutschen gibt. So auch hier. Für das Deutsche gilt es als ausgesprochen schlecht, den zweiten Nebensatz so in den ersten hineinzustellen, daß die eine Konjunktion der anderen unmittelbar folgt: *Er nahm an, daß da er –*. Im Englischen dagegen ist gerade das die wünschenswerte Satzstellung: *He assumed that since he –*. Dieses Satzbauprinzip muß man also für beide Übersetzungsrichtungen beherzigen.

744 Lincoln therefore assumed *that, since he* had the priority, he would make the speech summing up the legal argument on the Manny side.	Lincoln nahm daher an, *daß er, da er* die Priorität hatte, das Schlußplädoyer für die Manny-Prozeßseite halten würde.
745 This leads inescapably to the absurd conclusion *that, whenever scientists or literary artists* turn from their formal writing to familiar conversation with their friends, they thereby already degrade themselves to a lower social status.	Das führt zwangsläufig zu dem absurden Schluß, *daß Wissenschaftler und Schriftsteller* (*oder* literarisch-künstlerisch Tätige), *sobald sie* sich von ihren formal gebundenen Niederschriften ab- und familiärer Konversation zuwenden, dadurch sich bereits zu einer niedrigeren sozialen Stufe degradieren.

746 Statistics compiled by the WHO show *that, once the perils of childhood* are past, American mortality is relatively high.

Von der Weltgesundheitsorganisation zusammengestellte Statistiken *zeigen, daß die Sterblichkeit in USA, wenn erst die Gefahren* der Kindheit vorüber sind, ziemlich hoch liegt.

747 If you are an American past 55, the odds are two out of three *that, unless there* is a change in the trend of life expectancy, you will die of this malady.

Wenn Sie ein Amerikaner über 55 sind, dann stehen die Chancen 2:3, *daß Sie* an dieser Krankheit sterben, *außer es* tritt eine Änderung in den Lebenserwartungstendenzen ein.

748 It is pointed out in responsible quarters in Paris *that when the Allied authorities* decided to reduce Ruhr coal export quotas last autumn, in the interest of an ultimate all-over improvement in German coal production, no arrangement was made guaranteeing the western countries or Europe that they would benefit by a future high output of Ruhr coal.

In verantwortlichen Kreisen in Paris wird darauf hingewiesen, *daß die alliierten Behörden, als sie* vorigen Herbst die Senkung der Exportkontingente für Ruhrkohle im Interesse einer als Endziel zu erstrebenden Gesamtverbesserung der Lage der deutschen Kohleerzeugung beschlossen, keine Abmachung trafen, die den westlichen Ländern oder Europa garantierte, daß sie von einer zukünftigen höheren Ruhrkohleförderung profitieren würden.

749 The fact remains *that could criticism* achieve the exactitude and absoluteness of science, then there would be only one opinion about any one work of literature. (could = if . . . could!)

Die Tatsache bleibt bestehen, *daß es, wenn Literaturkritik* die Genauigkeit und Absolutheit der Wissenschaft (*oder* wissenschaftliche Genauigkeit und Absolutheit) erreichen könnte, über jedes Werk der Literatur immer nur eine Ansicht gäbe.

Bei dem recht häufigen Fall, daß der zweite Nebensatz konzessiv oder adversativ ist, sollte man nun zusätzlich berücksichtigen, was im vorigen Kapitel dargelegt wurde, nämlich die Wiedergabe von *though (although)* und *while* mit deutschem *zwar*. Diese Grundsätze sind bei den folgenden Beispielen angewandt:

750 Certain observations in Beatrice Webb's published diaries show *that while she* had a theoretical concern for the welfare of people as a mass,

Gewisse Feststellungen in Beatrice Webbs veröffentlichten Tagebüchern zeigen, *daß sie zwar* ein theoretisches Interesse am Wohlergehen der Men-

she was often arrogantly contemptuous of individuals.

schen als Gesamtheit hatte, gegenüber Einzelpersonen *aber* oft arrogante Verachtung zeigte.

751 The report begins by pointing out *that though almost all the major countries* of the world have adopted the metric system, so strong are the combined trading areas of the U.S. and the British Commonwealth that the actual volume of commerce governed by decimal measurement is still probably less than fifty per cent of the whole.

Der Bericht beginnt mit dem Hinweis, *daß zwar fast alle größeren Länder* der Welt das metrische System übernommen haben, die Handelsgebiete der USA und des britischen Commonwealth zusammengenommen *aber doch* so stark sind, daß der tatsächliche Umfang des vom metrischen System beherrschten Handelsvolumens wahrscheinlich immer noch weniger als fünfzig Prozent des Gesamtvolumens beträgt.

752 They agreed *that, while the rich nations* of the West were getting richer, others were getting poorer, and *that, if the process* lasted during a prolonged period of competitive co-existence, the Russians might win the competition.

Sie stimmten zu, *daß die reichen Völker* des Westens *zwar* reicher, andere *dagegen* ärmer würden, und *daß die Russen, wenn dieser Vorgang* während einer längeren Periode konkurrierender Koexistenz anhielte, diesen Wettkampf gewinnen könnten.

753 Here, too, is the signature of that official who said *that while* we had every authority for entering Eritrea, we had no authority whatever for leaving it, and were unlikely to be granted any.

Hier findet sich auch die Unterschrift jenes Beamten, der sagte, *wir* hätten *zwar* jede Berechtigung, in Eritrea einzureisen, *aber* keinerlei Berechtigung, es zu verlassen, und würden eine solche auch kaum erhalten.

754 This is one of the more comprehensive medical textbooks *which, while* catering for the undergraduate student preparing for his final examination, does not overlook the needs of the general practitioner.

Hier handelt es sich um eines der umfassenderen medizinischen Lehrbücher, *das zwar* für den sich auf das Staatsexamen vorbereitenden Studenten das Material bereitstellt, dabei *aber* die Bedürfnisse des praktischen Arztes nicht außer acht läßt.

755 The snowy beard of his age fitted well the patriarchal role assigned to him *when, though* still remaining the challenger and fighter, he became an

Der schneeweiße Bart paßte gut zu der patriarchalischen Rolle, die man ihm zuwies, *als er – zwar* immer noch Herausforderer und Kämpfer – in

established institution in the intellectual landscape of the nineteen-twenties to forties.

der intellektuellen Landschaft der zwanziger bis vierziger Jahre zu einer Institution wurde.

756 *For while* theorists have adduced mathematically impeccable accounts of the fabrication of galaxies, stars, star dust, atoms, and even of atom's components, every theory rests ultimately on the a priori assumption that something was already in existence – whether free neutrons, energy quanta, or simply the blank inscrutable "world stuff", the cosmic essence, of which the multifarious universe was subsequently wrought.

Denn die Theoretiker haben *zwar* mathematisch unangreifbare Darstellungen von dem Entstehen von Milchstraßen, Sternen, Sternenstaub, Atomen und sogar Atomteilen gegeben, *aber* dennoch beruht jede dieser Theorien letzten Endes auf der a priori gesetzten Annahme, daß bereits irgend etwas existierte – seien es nun freie Neutronen, Energiequanten oder einfach der blanke unerforschliche „Weltstoff", der kosmische Stoff, aus dem das so vielgestaltige Universum dann geschaffen wurde.

Drei weitere Beispiele finden sich in den Sätzen 158 und 167 sowie in dem Eingangsbeispiel auf Seite 10.

XXV. Die Konstruktion ‚with + Partizip'

Als letzte der übersetzungstechnisch interessanten Konstruktionen sei hier die im modernen Englisch so geläufige Verbindung der Präposition *with* mit einem Partizip genannt. Wir stoßen dabei auf zwei Schwierigkeiten: Das Deutsche kennt keinerlei direkte Entsprechung, und das Englische drückt durchaus voneinander abweichende Beziehungen mit dieser Konstruktion aus. Wenn man die im folgenden gegebenen Beispiele mit ihren Übersetzungen liest, wird einem die semantische Vielfalt dieser Ausdrucksweise des Englischen auffallen. Es muß allerdings gesagt werden, daß sie nicht ganz so groß ist, wie es durch die große Zahl deutscher Übersetzungsmöglichkeiten aussehen mag.

Die Vorstellung des begleitenden Umstandes (deutsch *wobei*) ist ohne Frage die grundlegende Bedeutung. Sie ist sehr leicht mit temporalen Vorstellungen verknüpft, was die deutsche Konjunktion *wenn* notwendig macht (freilich *wenn* in seiner rein temporalen, keineswegs in der konditionalen Bedeutung!). Sobald das temporale Moment das Übergewicht erhält, wird man an die Übersetzung *jetzt wo, heutzutage wo* oder *damals als* denken müssen. Nach deutschem Sprachempfinden ist aber manchmal das kausale Element, das bei der Erwähnung eines begleitenden Umstandes oft deutlich mitschwingt, das einzige, das sich als Übersetzung verwenden läßt,

weshalb wir dann im Deutschen *da* setzen, obwohl wir damit weitaus präziser formulieren, als es der englischen Originalfassung entspricht. Aber das ist bei der Wiedergabe englischer infiniter Formen nahezu selbstverständlich.
Mit diesen vier Lösungen haben wir noch nicht alle Möglichkeiten an der Hand, um allen englischen Sätzen, die ‚*with* + Partizip' enthalten, gerecht zu werden. Wie auch bei anderen englischen Partizipialkonstruktionen ist es manchmal notwendig, den Schritt vom Neben- zum Hauptsatz zu machen, von der Hypotaxe also zur Parataxe überzugehen. So finden wir also auch hier im Deutschen Hauptsätze anstelle der englischen hypotaktischen Fügung ‚*with* + Partizip' – Hauptsätze, die teils mit *und* anzuschließen sind, teils ohne Konjunktion eingeführt werden. Schließlich scheint in manchen Fällen die Parallelität der Handlungen oder Zustände ausschlaggebend zu sein, so daß wir im Deutschen etwas anderes als die Konjunktion *während* kaum setzen können. Während all diese Übersetzungen den adverbialen Grundcharakter der englischen Fügung wahren, ist das bei der als letzter zu nennenden Übersetzungsmöglichkeit nicht der Fall: die Wiedergabe im Deutschen durch einen Relativsatz. Hier tritt an die Stelle des Adverbials das Attribut – eine Verschiebung der logischen Verhältnisse innerhalb eines Satzes, zu der man sich nur entschließen sollte, wenn eine andere befriedigende Lösung nicht möglich ist.
Einige der hier gegebenen Beispiele enthalten kein Partizip. Hier kann man sich *being* hinzudenken, wie das auch sonst im Englischen keineswegs selten ist: Though a boy he could ride like a grown-up. When at Rome do as the Romans do. Hierher gehören die Beispielsätze 759, 785, 793, 797, 802, 804, 808, 813, 814.

A DEUTSCHE ÜBERSETZUNG: WOBEI

757	The object of the plot was a complete about-face, the arrest of the Nazi leaders, *with* all key government posts *coming* under the control of the plotters.	Das Ziel der Verschwörung war ein völliger Umschwung und die Verhaftung der Nazi-Führer, *wobei* alle Schlüsselpositionen innerhalb der Regierung in die Gewalt der Verschwörer kommen sollten.
758	The spelling of *catalog/ue* is divided, *with* the shorter form *gaining*.	Die Rechtschreibung von "catalog/ue" ist verschieden, *wobei (jedoch)* die kürzere Form immer mehr bevorzugt wird.
759	Mr. Truman launched the first step on Wednesday by naming a fact-finding board, *with* April 5 the deadline for its report.	Truman unternahm am Mittwoch den ersten Schritt, indem er einen Untersuchungsausschuß ernannte, *wobei* der 5. April als letzter Termin für den Bericht festgesetzt wurde.

760	A historical quiz can be of world scope or definitely American, ***with*** the latter ***preferred.***	Ein Geschichtsquiz kann entweder die ganze Welt oder nur eindeutig Amerika umfassen, ***wobei*** das letztere bevorzugt wird.
761	The Arab proposal was rejected, ***with*** the United States among the countries voting no.	Der arabische Vorschlag wurde zurückgewiesen, ***wobei*** die Vereinigten Staaten sich unter den Staaten befanden, die dagegen stimmten.
762	Dewey's cabinet sessions are a prolonged round of give-and-take ***with*** Dewey ***subjected*** to lots of taking.	Deweys Kabinettssitzungen sind lange Runden von Schlagwechseln, ***wobei*** Dewey eine ganze Menge Schläge einstecken muß.
763	The indispensable requirement of modern war is dictatorship, ***with*** the government ***controlling*** every feature of economic activity.	Die unbedingte Voraussetzung für den modernen Krieg ist die Diktatur, ***wobei*** die Regierung jede Art wirtschaftlicher Tätigkeit unter Kontrolle hat.
764	The trend is toward a "welfare state", ***with*** Government ***protecting*** individuals against all or most hazards of living, but that trend in 1949 is expected to be rather slow.	Die Tendenz geht auf einen Wohlfahrtsstaat zu, ***wobei*** die Regierung die Einzelnen gegen alle oder (wenigstens) die meisten Unglücksfälle des Lebens schützt, aber diese Tendenz wird, so erwartet man, 1949 ziemlich gering sein.
765	In future the most intelligent children will be able to go to a secondary school and later on to a University ***with*** all their expenses ***paid*** by the State.	In Zukunft können die intelligentesten Kinder eine Höhere Schule und später eine Universität besuchen, ***wobei*** all ihre Kosten vom Staat getragen werden.
766	They braced their bodies in desperation against the drag of their falling comrades, and the rush was checked, with the three Englishmen and one guide ***dangling*** four thousand feet above the glacier.	Sie stemmten ihre Körper verzweifelt gegen das Gewicht ihrer herabstürzenden Kameraden, und der Sturz wurde aufgehalten, ***wobei*** die drei Engländer und ein Führer 1200 m über dem Gletscher hingen.
767	Straight ahead, blocking out the sky, they now noticed an extraordinary peak – a perfect half-dome of mountainous rock rising nearly a mile	Gerade vor sich bemerkten sie jetzt, den Himmel versperrend, einen außergewöhnlichen Berggipfel – eine vollkommene Halbkuppel aus Ge-

above them, *with* its flat, sliced side *facing* the valley. (Vergleiche 816.)

stein, die sich fast anderthalbtausend Meter über ihnen erhob, *wobei* ihre gerade, abgeschnittene Seite dem Tal zugewandt war.

768 There is a network of such bus stations all over England *with* buses *connecting* the various towns as efficiently as any railway line.

Es gibt ein ganzes Netz von solchen Bushaltestellen in ganz England, *wobei* die Busse die verschiedenen Städte miteinander genauso gut verbinden wie jede Bahnlinie.

769 The ride is soft but level and well-damped, *with* only a slight sensation of float *intervening* if the speed is pushed up into the nineties on a gusty day.

Der gutgefederte Wagen fährt weich und gleichmäßig, wobei ein leichtes Schwimmen erst zu spüren ist, wenn die Geschwindigkeit an einem böigen Tag auf 140 km/h hinaufgetrieben wird.

B DEUTSCHE ÜBERSETZUNG: WENN

770 The smaller nations must have felt like a group of penniless children *with* their noses *pressed* tight against a sweet-shop window when they wondered how they might be able to make use of atomic energy. (Vergleiche 815.)

Die kleineren Nationen müssen das gleiche gefühlt haben wie ein paar arme Kinder, *wenn* sie ihre Nasen am Schaufenster eines Süßwarengeschäfts plattdrücken, (immer) wenn sie sich fragten, wie sie die Atomenergie für sich nutzbar machen könnten.

771 Possibly it has no firm idea today of how it might use these weapons; but, *with* Western Europe *exposed,* it would be subject to great temptations.

Möglicherweise hat sie (die Sowjetunion) heute noch keine feste Vorstellung, wie man diese Waffen verwenden könnte, aber *wenn* Westeuropa schutzlos preisgegeben wird, würde sie einer großen Versuchung ausgesetzt sein.

772 And New York at night! Seen from the harbour after an early winter sunset, *with* a thousand times a thousand lighted windows *shining* in the gloom, the skyscrapers of Manhattan

Und erst New York bei Nacht! Vom Hafen aus gesehen nach einem frühen Sonnenuntergang im Winter, *wenn* tausend und abertausend beleuchtete Fenster in der Dämmerung

	offer a scene of unbelievable beauty. (Vergleiche 787.)	scheinen, bieten die Wolkenkratzer Manhattans ein Bild von unglaublicher Schönheit.
773	I've seen the Monument on grey days – pale, pearl and serene, floating with the clouds, linking the heaven and the earth; and at night, *with* the floodlights in full play *transforming* it into a great column of flame reaching toward the stars.	Ich habe das Denkmal an trüben Tagen gesehen – blaß, perlenartig und friedlich, in den Wolken schwebend, Himmel und Erde verbindend; und des Nachts, *wenn* es das voll eingeschaltete Flutlicht in eine große flammende Säule verwandelt, die bis zu den Sternen reicht.
774	Such an adventure seems reckless indeed, *with* the river current *driving* everything, especially clumsy Indian dugouts, towards the brink. (Vergleiche 797a.)	Solch ein Abenteuer erscheint wirklich leichtsinnig, *wenn* die Flußströmung alles, besonders die schwerfälligen Kanus der Indianer, dem Rand des Wasserfalls zutreibt.
775	Mrs. Brown: But this is a wood, George. I thought you said there was a lake. It's very lovely, though, *with* the sun *shining* through the trees. (Vergleiche 789.)	Frau Brown: Aber dies ist doch ein Wald hier, George. Ich dachte, du sagtest, hier wäre ein See. Trotzdem ist es sehr schön, *wenn* die Sonne durch die Bäume scheint.
776	John: Oh Mary, for goodness' sake be quiet! How do you think I can do my Latin *with* you *interrupting* every few seconds? (Vergleiche 788.)	John: O, Mary, sei um Himmelswillen still! Wie (stellst du dir vor,) soll ich mein Latein machen, *wenn* du alle paar Sekunden unterbrichst?
777	And *with* that *settled*, it would be illogical to deny the existence of higher forms elsewhere. (Vergleiche 790.)	Und *wenn* das klar ist, wäre es unlogisch, das Vorhandensein höherer Lebensformen woanders zu bestreiten.
778	Physical transportation is not necessary, however. *With* today's electronic techniques *stretched* to the utmost, we could just about get a readable Morse signal to the nearest star.	Ein konkretes Transportmittel ist jedoch nicht notwendig. *Wenn* die elektronischen Methoden von heute bis zum letzten erweitert werden, können wir gerade eben noch ein lesbares Morse-Signal zum nächstgelegenen Stern senden.
779	How do you think I can write these Christmas cards *with* you *jumping* up and down all the time.	Wie soll ich diese Weihnachtskarten schreiben, *wenn* du die ganze Zeit hier herumhüpfst.

C DEUTSCHE ÜBERSETZUNG: (JETZT) WO, HEUTZUTAGE WO, DAMALS ALS

780 *With* maids a thing of the past and the automatic kitchen a thing of the future, the woman is doing the harder job.

Heutzutage, wo Dienstmädchen vergangenen Zeiten angehören und die automatische Küche noch Zukunftsmusik ist, leistet die Frau die schwerere Arbeit.

781 *With* heads of state *traveling* to far places – Eisenhower half around the world and then to Moscow, Khrushchev to Paris, de Gaulle to Washington and all three with Macmillan to a summit conference – the problem of the security of these high personages takes on added importance and interest.

Heutzutage, wo Staatsoberhäupter weite Reisen unternehmen – Eisenhower um die halbe Welt und dann nach Moskau, Chruschtschow nach Paris, de Gaulle nach Washington und dann alle drei zusammen mit Macmillan zu einer Gipfelkonferenz –, gewinnt das Problem der Sicherheit dieser hohen Persönlichkeiten noch mehr Bedeutung und Interesse.

782 Just now *with* travel back and a number of new slick travel magazines *springing up*, the city, state, river quiz is a salable number.

Gerade *jetzt, wo* das Reisen wieder eine Rolle spielt und eine Reihe neuer, flotter Reisezeitschriften auftaucht, ist der Stadt-, Land-, Fluß-Quiz eine gut verkäufliche Sache.

783 *With* the British *hanging* by a thread at Ypres, the casualty lists began to contain the names of my friends.

Jetzt, wo (oder Damals, als) das Schicksal der Engländer bei Ypern nur noch an einem Faden hing, begannen die Verlustlisten die Namen meiner Freunde zu enthalten.

784 In the present transition period, *with* the occupation forces *moving out* and more governmental authority *being* returned to Germany, the plain people hope that town and highway patrols will be allowed to remain.

In der jetzigen Übergangsperiode, *wo* die Besatzungstruppen abziehen und Deutschland mehr Regierungsgewalt zurückgegeben wird, hoffen die einfachen Leute, daß die Verkehrsstreifen in Stadt und Land bleiben dürfen.

785 I can't live on my wages *with* prices what they are.

Ich kann von meinem Lohn nicht bei so hohen Preisen leben (nicht leben, *jetzt wo* die Preise so hoch sind).

786	*With* Red guerillas *approaching* his area, he is preparing an emergency evacuation of American residents.	*Jetzt, wo* rote Guerillakrieger sich seinem Gebiete nähern, bereitet er eine Not-Evakuierung der amerikanischen Bewohner vor.
787	And New York at night! Seen from the harbour after an early winter sunset, *with* a thousand times a thousand lighted windows *shining* in the gloom, the skyscrapers of Manhattan offer a scene of unbelievable beauty. (Vergleiche 772.)	Und erst New York bei Nacht! Vom Hafen aus gesehen nach einem frühen Sonnenuntergang im Winter, *wo* tausend und abertausend beleuchtete Fenster in der Dämmerung scheinen, bieten die Wolkenkratzer Manhattans ein Bild von unglaublicher Schönheit.
788	John: Oh Mary, for goodness' sake be quiet! How do you think I can do my Latin *with* you *interrupting* every few seconds? (Vergleiche 776.)	John: O, Mary, sei um Himmelswillen ruhig! Wie soll ich mein Latein machen, *wo* du mich dauernd unterbrichst.
789	Mrs. Brown: But this is a wood, George. I thought you said there was a lake. It's very lovely, though, *with* the sun *shining* through the trees. (Vergleiche 775.)	Frau Brown: Aber dies ist doch ein Wald, George; ich dachte, du sagtest, hier wäre ein See. Trotzdem ist es sehr schön, *wo* die Sonne durch die Bäume scheint.
790	And *with* that *settled*, it would be illogical to deny the existence of higher forms elsewhere. (Vergleiche 777.)	Und *jetzt, wo* das klar ist, wäre es unlogisch, das Vorhandensein höherer Lebensformen woanders zu bestreiten.

D DEUTSCHE ÜBERSETZUNG: DA

791	Tokyo fared worst, *with* 510,000 buildings *burned down* or demolished, and 2,100,000 victims. (Vergleiche 805.)	Tokio erging es am schlimmsten, *da* 510 000 Häuser abgebrannt oder zerstört waren und es 2,1 Millionen Opfer gab.
792	*With* the office which handles these death claims *settling* them in November at the rate of but 355 more per month than the number of new cases being received, it will require 18 months to catch up.	*Da* das Büro, das diese Lebensversicherungsansprüche bearbeitet, sie im November mit einem Arbeitstempo von nur 355 mehr im Monat erledigte, als neue Fälle einliefen, werden 18 Monate erforderlich sein, um den Rückstand aufzuholen.

793 More than 70 per cent of the persons arrested were Germans, a proportion which the populace at first resented. But *with* the highway death toll four times the rate per car of American vehicles, the resentment faded.

Über 70% der Verhafteten waren Deutsche – ein Prozentsatz, den die Leute zuerst übelnahmen. Aber *da* hier die Zahl der Todesopfer auf den Landstraßen viermal so hoch war wie bei den amerikanischen Wagen, ließ der Groll nach.

794 The French Emperor, *with* only one-sixth of his once great force *left* to him, and with only Moscow's ruins to shelter even these few remaining troops, realized there was no longer any hope of conquering Russia.

Der französische Kaiser begriff, *da* nur noch ein Sechstel seiner einstmals großen Armee übrig war und ihm nur noch Moskaus Ruinen geblieben waren, um wenigstens diese wenigen Truppenreste zu schützen, daß es keinerlei Hoffnung mehr gab, Rußland zu erobern.

795 *With* one entrance *blocked* completely, and the other one almost, the very existence of the grotto was forgotten – for thirteen hundred years. (Vergleiche 809.)

Da ein Eingang völlig und der andere fast ganz versperrt war, wurde 1300 Jahre lang sogar das Vorhandensein der Grotte vergessen.

796 *With* widened employment opportunities now *providing* Chinese-Americans with a sound economic base, our Chinatowns have been rapidly changing.

Da heute umfassendere Beschäftigungsmöglichkeiten den Amerikanern chinesischer Herkunft eine gesunde wirtschaftliche Grundlage geben, haben sich unsere Chinesenviertel seit einiger Zeit sehr rasch verändert.

797 There's an awful draught *with* all the windows down. (Vergleiche 804.)

Es zieht hier furchtbar, *da* alle Fenster offen sind.

797a Such an adventure seems reckless indeed, *with* the river current *driving* everything, especially clumsy Indian dugouts towards the brink. (Vergleiche 774.)

Solch ein Abenteuer erscheint wirklich leichtsinnig, *da* die Flußströmung alles, besonders die schwerfälligen Kanus der Indianer, dem Rand des Wasserfalls zutreibt.

E DEUTSCHE ÜBERSETZUNG: UND

798	He stood it as long as he could. Then, *with* head *lowered* and arms *flailing*, he plowed through the crowd.	Er hielt aus, solange er konnte. Dann aber zog er den Kopf ein, ruderte mit den Armen *und* drängte sich so durch die Menge.
799	But unless this turns out to be a semitropical summer, *with* people *flocking* into the shops for something to stop the milk turning and the meat going bad, the industry is going to enter the autumn and winter period, when sales are normally down, with a heavy overload of stocks and a lot of spare capacity.	Aber wenn dieser Sommer nicht noch nahezu tropisch wird *und* die Leute in die Geschäfte strömen, um etwas zu kaufen, damit die Milch nicht sauer und das Fleisch nicht schlecht wird, dann wird die Industrie die Herbst- und Wintersaison, wenn der Absatz sowieso gering ist, mit einem großen Überhang an Vorräten und viel freier Kapazität beginnen.
800	The women sat *with* their hands *folded*.	Die Frauen saßen da *und* hatten die Hände gefaltet.
801	She looked at him *with* the colour *gone* from her face.	Sie sah ihn an, *und* die Farbe war aus ihrem Gesicht gewichen.
802	And there, up aloft, Toto would have sat, watching and wondering, *with* all his small brain busy. (Vergleiche 814.)	Und dort hoch oben hatte gewöhnlich Toto (ein Affe) gesessen, nachdenklich alles beobachtend, *und* sein ganzes kleines Hirn arbeitete heftig.

F DEUTSCHE ÜBERSETZUNG: NEUER SATZ NACH PUNKT, DOPPELPUNKT, SEMIKOLON ODER GEDANKENSTRICH

803	*With* the water delightfully *chilled* but not too cold, with the warm rocks on which to sun oneself, and the utter solitude of the surroundings it was easy to imagine that I had stumbled into a paradise lacking only an Eve.	Das Wasser war herrlich kühl, aber nicht zu kalt, die warmen Felsen, auf denen man sich sonnen konnte, und die völlige Einsamkeit in der Umgebung – es war leicht, die Vorstellung zu haben, daß ich unerwartet in ein Paradies geraten war, in dem nur noch eine Eva fehlte.
804	There's an awful draught *with* all the windows down. (Vergleiche 797.)	Es zieht hier furchtbar – alle Fenster sind offen!
805	Tokyo fared worst, *with* 510,000 buildings *burned down* or demo-	Am schlimmsten ging es Tokio: 510 000 Häuser waren entweder ab-

lished, and 2,100,000 victims. (Vergleiche 791.)

gebrannt oder zerstört, und es gab 2,1 Millionen Opfer.

806 Like most of the British Isles centuries ago, Wales was rich in timber *with* dense forests *covering* many of her valleys and hills, but what has happened in so many parts of the world has happened in Wales, and timber has been felled without regard for replanting.

Wie fast alle Britischen Inseln hatte Wales vor Jahrhunderten einen großen Baumbestand; dichte Wälder bedeckten viele der Täler und Hügel. Aber was in so vielen Ländern der Erde geschah, geschah auch in Wales: die Bäume wurden gefällt, ohne daß für Aufforstung gesorgt wurde.

807 Two little old ladies, who were sitting further up the table, *with* shawls *hanging* over the backs of the chairs, looked back.

Zwei kleine, ältere Damen, die weiter oben am Tisch saßen – ihre Umhänge waren über die Rückenlehnen der Stühle gehängt –, schauten sich um.

808 *With* nothing to build on but a waterless, wave-swept coral key, and *with* their source of supplies in Philadelphia, thirteen hundred miles away by sea, the army engineers erected the largest mass of unreinforced masonry ever raised by Americans – that is to say, masonry that is all brick and stone and not held together in any way by steel or concrete beams.

Nichts als ein wasserloses, wellenumtostes Korallenriff, auf dem man bauen konnte, der Ausgangspunkt für den Nachschub in Philadelphia, 2000 km über See entfernt – so bauten die Pioniere die größte Masse an nichtverstärktem Mauerwerk, die jemals von Amerikanern errichtet wurde, das heißt also Mauerwerk, das nur aus Ziegeln und Steinen besteht und nicht irgendwie durch Stahl oder Betonträger zusammengehalten wird.

809 *With* one entrance *blocked* completely, and the other one almost, the very existence of the grotto was forgotten – for thirteen hundred years. (Vergleiche 795.)

Ein Eingang war völlig und der andere fast ganz versperrt; so wurde 1300 Jahre lang sogar das Vorhandensein der Grotte vergessen.

G DEUTSCHE ÜBERSETZUNG: WÄHREND

810 *With* the army *reeling* from the blow, General Patton issued an order of the day.

Während die Armee von dem Schlag taumelte (unter der Schockwirkung der Niederlage stand), erließ General Patton einen Tagesbefehl.

811 At the close of the First World War, *with* certain groups in the U.S. *demanding* that their country should have a navy second to none, it appeared for a time that Great Britain, Japan, and the U.S. were embarked upon a race for naval supremacy.

Während gegen Ende des 1. Weltkrieges gewisse Gruppen in den USA verlangten, daß ihr Land eine allen überlegene Kriegsmarine haben sollte, schien es eine Zeit lang, als ob sich Großbritannien, Japan und Amerika auf ein Wettrennen um die Vorherrschaft auf See einlassen wollten.

812 If ever the House of Lords reminded one of the saying of some old member of it that it is like a ducal mansion *with* the duke *lying* dead upstairs, it was then. The silence was unearthly. (Vergleiche 818.)

Wenn das Oberhaus einen je an den Ausspruch eines seiner früheren Mitglieder erinnerte, es gleiche einem Herzogssitz, *während* der Herzog im Oberstock aufgebahrt liege, dann war es in diesem Moment. Die Stille hatte etwas Unirdisches.

813 First a Hindu woman makes herself clean and neat, and then she says her prayers, sitting in silence *with* the house quiet around her and day not yet come.

Zuerst reinigt eine Hindufrau sich und zieht sich sorgfältig an, dann sagt sie ruhig dasitzend ihre Gebete, *während* das Haus um sie herum noch ganz still und der Tag noch nicht angebrochen ist.

814 And there, up aloft, Toto would have sat, watching and wondering, *with* all his small brain busy. (Vergleiche 802.)

Und dort hoch oben hatte gewöhnlich Toto (ein Affe) gesessen, nachdenklich alles beobachtend, während sein ganzes kleines Hirn heftig arbeitete.

Zur Gruppe E sei hier angemerkt, daß man den Beispielsatz 800 leicht übersetzen könnte: Die Frauen saßen *mit gefalteten Händen* da. Und dann auch Beispiel 798: Er hielt aus, solange er konnte. Dann aber drängte er sich *mit gesenktem Kopf und rudernden Armen* durch die Menge. Solche Übersetzungen verkennen aber den Unterschied des Wertes einer attributiven und einer prädikativen Feststellung: die *Arme* werden nicht als *rudernd* beschrieben usw., sondern es wird ausgesagt, daß *sie ruderten,* oder daß *der Mann mit ihnen ruderte.* Allenfalls könnte man mit der einzigen Konstruktion des Deutschen, die an das absolute Partizip des Englischen erinnert, sagen: Dann aber drängte er sich, *den Kopf gesenkt und mit den Armen rudernd*, durch die Menge.
Bei aller Zurückhaltung, die man also gegenüber attributiven Lösungen der englischen Konstruktion ‚*with* + Partizip' üben sollte, muß aber doch gesagt werden,

daß in einigen Fällen die Übersetzung dieses Ausdrucks mit einem Relativsatz naheliegt und auch vertretbar ist. Hierzu abschließend noch einige Beispiele:

H DEUTSCHE ÜBERSETZUNG: RELATIVSATZ

815 The smaller nations must have felt like a group of penniless children *with* their noses *pressed* tight against a sweet-shop window when they wondered how they might be able to make use of atomic energy. (Vergleiche 770.)

Die kleineren Nationen müssen das gleiche gefühlt haben wie ein paar arme Kinder, *die* ihre Nasen am Schaufenster eines Süßwarengeschäfts plattdrücken, wenn sie sich fragten, wie sie die Atomenergie für sich nutzbar machen könnten.

816 Straight ahead, blocking out the sky, they now noticed an extraordinary peak – a perfect half-dome of mountainous rock rising nearly a mile above them, *with* its flat, sliced side *facing* the valley. (Vergleiche 767.)

Gerade vor sich bemerkten sie jetzt, den Himmel versperrend, einen außergewöhnlichen Berggipfel – eine vollkommene Halbkuppel aus Gestein, die sich fast anderthalbtausend Meter über ihnen erhob und *deren* abgeschnittene Seite dem Tal zugewandt war.

817 In the present transition period, *with* the occupation forces *moving out* and more governmental authority *being* returned to Germany, the plain people hope that town and highway patrols will be allowed to remain. (Vergleiche 784.)

In der jetzigen Übergangsperiode, *in der* die Besatzungstruppen abziehen und Deutschland mehr Regierungsgewalt zurückgegeben wird, hoffen die einfachen Leute, daß die Verkehrsstreifen in Stadt und Land bleiben dürfen.

818 If ever the House of Lords reminded one of the saying of some old member of it that it is like a ducal mansion *with* the duke *lying* dead upstairs, it was then. The silence was unearthly. (Vergleiche 812.)

Wenn das Oberhaus einen je an den Ausspruch eines seiner früheren Mitglieder erinnerte, es gleiche einem Herzogssitz, *in dem* der Herzog im Oberstock aufgebahrt liege, dann war es in diesem Moment. Die Stille hatte etwas Unirdisches.

So vielfältig die Gegenüberstellungen englischer und deutscher Sätze und die daraus sich ergebenden übersetzungstechnischen Probleme auch waren, es bedarf wohl keines besonderen Hinweises, daß die hier gegebene Darstellung nicht erschöpfend sein kann. Sie will es auch nicht. Als Hilfe bei der Lösung praktischer Übersetzungsaufgaben ebenso wie bei der Erarbeitung übersetzungstheoretischer Probleme wird sie sich hoffentlich als brauchbar erweisen.

Bibliographische Hinweise

Ph. Aronstein, *Englische Stilistik*, Teubner, Leipzig, 1926

Babel – International Journal of Translation, Verlag Langenscheidt KG, München–Berlin, 1955 ff.

Th. Buck, *German into English*, Vandenhoeck und Ruprecht, Göttingen, 1968

H. A. Cartledge, *Translation from English for Advanced Students*, Longmans, London, 1961

J. C. Catford, *A Linguistic Theory of Translation*, Oxford University Press, London, 1965

L. F. Dean – K. G. Wilson, *Essays on Language and Usage*, Oxford University Press, New York, 1963

W. Friederich, *Englische Morphologie*, Max Hueber Verlag, München, 1976

J. Gelhard, *Englische Stillehre*, Kesselring, Wiesbaden, 1953

F. Güttinger, *Zielsprache, Theorie und Technik des Übersetzens*, Manesse-Verlag, Zürich, 1963

R. Jumpelt, *Die Übersetzung naturwissenschaftlicher und technischer Literatur*, Langenscheidt, Berlin, 1961

H.-W. Klein – W. Friederich, *Englische Synonymik für Studierende und Lehrer*, Max Hueber Verlag, München, 1968

Lebende Sprachen, Zeitschrift für fremde Sprachen in Wissenschaft und Praxis, Langenscheidt, Berlin, 1956 ff.

E. Leisi, *Das heutige Englisch, Wesenszüge und Probleme*, Carl Winter, Heidelberg, 1964

E. Leisi, *Der Wortinhalt. Seine Struktur im Deutschen und Englischen*, Quelle & Meyer, Heidelberg, 1961

J. Lyons, *Introduction to Theoretical Linguistics*, Cambridge University Press, 1968

Margetts–Schopf, *Die Übersetzung im Staatsexamen*, Max Hueber Verlag, München, 1962

G. Mounin, *Die Übersetzung, Geschichte, Theorie, Anwendung*, Nymphenburger Verlagshandlung, München, 1967

W. Mues, *Sprache – was ist das?* Max Hueber Verlag, München, 1967

W. Mues, *Vom Laut zum Satz*, Julius Groos, Heidelberg, 1964

J. Ortega y Gasset, *Elend und Glanz der Übersetzung*, Edition Langewiesche–Brandt, Ebenhausen–München, 1956

E. Sapir, *Die Sprache. Eine Einführung in das Wesen der Sprache*, Max Hueber Verlag, München, 1961

Th. H. Savory, *The Art of Translation*, Jonathan Cape, London, 1957

Ph. Schick, *Deutsch-englische Übersetzungsübungen, 3 Bände*, Max Hueber Verlag, München, 1967–1969

W. Schönherr, *Stil-Erziehung im Englischen*, Moritz Diesterweg, Frankfurt, 1939

K. Schrey, *English and German Style*, Moritz Diesterweg, Frankfurt, 1961

Sprache und Wirklichkeit, Essays (Buber, Heidegger, C. F. von Weizsäcker, F. G. Jünger, W. F. Otto u. a.), dtv 432, 1967

A. Streibich, *Prinzipien zur Wiedergabe des deutschen Satzes im Englischen,* Moritz Diesterweg, Frankfurt, 1934

W. E. Süskind, *Vom ABC zum Sprachkunstwerk,* Deutsche Verlagsanstalt, Stuttgart, 1940

K. Utz, *English Grammar, Style, Phraseology,* Hirschgraben-Verlag, Frankfurt, 1964

K. Utz, *Exercises in English Style,* Hirschgraben-Verlag, Frankfurt, 1961

R. A. Waldron, *Sense and Sense Development,* André Deutsch, London, 1967

J. T. Waterman, *Die Linguistik und ihre Pespektiven,* Max Hueber Verlag, München, 1966

H. Weinrich, *Linguistik der Lüge, Kann Sprache die Gedanken verbergen?* Lambert Schneider, Heidelberg, 1966

B. L. Whorf, *Sprache, Denken, Wirklichkeit,* Rowohlt, Hamburg (rde 174), 1963

J. Wirl, *Grundsätzliches zur Problematik des Dolmetschens und des Übersetzens,* Wilhelm Braumüller, Wien, 1958

Auf die reichhaltigen Bibliographien bei Güttinger, Jumpelt und Mounin sei ausdrücklich hingewiesen, sowie auf die fortlaufenden Veröffentlichungen in den Zeitschriften *Babel* und *Lebende Sprachen.*

Benutzte Literatur

Außer den in den Bibliographischen Hinweisen genannten Büchern:

a) Wörterbücher und andere Nachschlagewerke

C. L. Barnhart, *The American College Dictionary,* Random House, New York, 1953

H. W. Fowler – F. G. Fowler, *The Concise Oxford Dictionary,* Clarendon Press, Oxford, 1964

H. W. Fowler, *A Dictionary of Modern English Usage,* Revised by Sir Ernest Gowers, Clarendon Press, Oxford, 1965

W. Friederich, *Die Interpunktion im Englischen,* Max Hueber Verlag, München, 1977

W. Friederich, *Die infiniten Formen des Englischen,* Studentenwerk München Lehrmitteldienst, 1964

Hornby–Gatenby–Wakefield, *The Advanced Learner's Dictionary of Current English,* Oxford University Press, London, 1963

T. Jones, *Harrap's Standard German and English Dictionary,* Volume One/Two, George G. Harrap & Col., London, 1963/1967

Longmans English Larousse, Longmans, London, 1968

L. H. Paulovsky, *Errors in English,* Verlag Jugend und Volk, Wien, 1949

G. Scheurweghs, *Present-Day English Syntax. A Survey of Sentence Patterns,* Longmans, London, 1959

Webster's Third New International Dictionary, G. & C. Merriam Co., Springfield, 1965

b) Texte (in Auswahl)

BBC-Texte (English by Radio u. a.)

British Book News

W. S. Churchill, *The Second World War.* Volume I, The Gathering Storm, Cassell & Co., London, 1950

Heinz Gartmann, *Sonst stünde die Welt still,* Econ Verlag, Düsseldorf, 1957 / *Science as History,* translated by Alan G. Readett, Hodder and Stoughton, London, 1960

Willi Heinrich, *Das geduldige Fleisch,* Deutsche Verlagsanstalt, Stuttgart, 1955 / *The Willing Flesh,* Weidenfeld and Nicolson, London / *The Cross of Iron,* The Bobbs-Merrill Company, Indianapolis–New York.

Lebende Sprachen, Langenscheidt, Berlin, 1956 ff.

London Press Service

New York Times

The Observer

Internationales Jahrbuch der Politik 1954, Isar Verlag, München

Reader's Digest

The Times